実践マーケッター
神田昌典

口《くち》コミ伝染病

お客がお客を連れてくる
実践プログラム

フォレスト出版

「社長！　大変です！」

「朝から騒がしいな。一体、どうしたんだ！」

「お客が殺到しています」

「なに？」

「だから、お客が殺到しているんですって！　お客がお客を連れてきているんです。口コミが原因じゃないかと」

「クチコミ？　口コミほど当てにならないものはないんだぞ。だから、いままで宣伝にこんなにお金をかけてきたんじゃないか！　そりゃ、広告代理店に騙されたこともあったよ。でも宣伝費の半分はうまくいってたはずだぞ」

「私もそう思ってきましたよ。でも最近はチラシをいくら撒いても、さっぱりじゃないですか！」

「そりゃ、そうだが、口コミは勝手に起こるんだ。コントロールできるわけがない」

「ところが、社長。先日、本屋で面白い本を見つけたんです。その本によれば、口コミは、伝染病だと。口コミ・ウィルスをお客に伝染させれば、お客が勝手にしゃべりだすんだというんです」

「口コミが伝染病だとぉ～。そんなのは奇を衒っているだけなんだよ。いるだろう、そういうコンサルタントが。いいか、お前。コンサルタントの言うことを聞いて、うまくいくことがあったか？　この間、雇ったコンサルタントなんて、社内をひっちゃかめっちゃかにして、結局、いなくなったじゃないか？　しかも高い金、ふんだくって……」

「そりゃ、そうだと思いますよ。でも社長、コンサルタントの悪口を言っている場合じゃないんです」

「そうだな、それは酒の肴にとっておこう」

「その本なんですが……」

「まさか、買ったんじゃないだろうな？」

「……買いました」

「そんな本、買うなよ！　どうせ時間の無駄だ」

「私も、はじめそう思ったんですよ。でも、ひとつでも役に立つところがあれば元は取れるなと思って……」

「どうせ期待外れだっただろう？」

「社長。『プラス思考でいけ』、といつも社員に言っているのに、今日は、随分、マイナス思考ですねぇ……」

「あ、悪かった……。で、どうだったんだ？　その本は？」

「一気に読んだんですけど、なんだかやる気が湧いてきたんですよ。それで、お金がかかるわけじゃないから、騙されたと思って、口コミを伝染させる仕掛けの、ほんの一つをやってきたんですよ」

「そうしたら、どうなったんだ？」

「どうもこうもありませんよ、社長。私が言うより、自分の目で見てください！」

受付の電話ランプが点滅、電話が鳴り続けるのを見て……

「信じられない。お前、口コミが原因だって言ったな」

「そうです。確かにチラシは撒きましたけど、今回は枚数を控えたんです。撒いても、最近は、ほとんど反応がなかったですからね。それでもこれだけ反応がいいのは、やはり口コミ以外には考えられないんですよ」

「一体、何をしたんだ。話してみろ！」

「えっ、分かりました。うまく説明できるか分かりませんけど……社長、口コミっていうのはですね……ある条件を満たすことによって、伝染するんです……」

ロコミ病棟へ、ようこそ。

この二人が問題にしている口コミの本。

それが、あなたが今、手にとっている本である。

本書の目的は、ズバリ、あなたの会社の口コミ・パワーおよび紹介パワーを高めることにある。

あなたもご存じのとおり、口コミ・紹介ほど強力な宣伝媒体はない。だから多くの会社では、「口コミが重要だ！」「紹介営業だ！」と檄が飛ばされる。しかし具体的に、何をすればいいのか？　九九・九％の会社は、体系的な戦略を持っていない。

毎年、何万冊ものビジネス書が出版されている。しかし、口コミに関する本はごく少数だ。これだけ重要と言われながら、口コミの実態がほとんど研究されていないのは、マーケティング七大不思議のひとつである。

口コミに関する研究が少ないのには、理由がある。

口コミには、「お客様に奉仕していれば、自然に起こる」「コントロールできない」との迷信があるからである。

この迷信のために、口コミを主体的に活用しようと思う会社がほとんど現れない。

ブームを仕掛ける企業はある。テレビ番組に報道させたり、オピニオンリーダーになりやすい女子高生やＯＬを使って、流行を演出する。

確かに、大衆を動かすという観点からすると、ブームを仕掛けるのは大変興味深い。しかしブームを仕掛けるのは、菓子、飲料メーカー等の大企業が、例外的に手がける程度。日本の企業の九〇％以上を占める中小企業にとっては、活用できる具体策は示されてこなかった。

いままで中小企業は、チラシをはじめとした広告宣伝、そして営業マンに頼る肉体労働で、集客してきた。しかし今では、広告をやっても反応がなく、また営業マンにも給与以上の働きを期待できない。このような状況下で、多くの経営者は、これからは、一体、どうやって集客したらいいのだろうと痛切に悩んでいることと思う。

費用のかからない口コミ・紹介を、体系的に活用することができれば、どんなに楽できるだろう……。そう思っているのは、私ばかりではあるまい。

口コミは、単にお客がお客を連れてくるというだけではない。

あなたもご経験があるように、紹介されたお客は、極めて楽な客だ。

広告を見たお客は、「いくらでできますか？」と電話してくる。しかし、紹介されたお客は、「○○さんから紹介されたんですけど、いつごろきてもらえますか？」という反応になる。

広告宣伝のお客は、値切る。紹介された客は、感謝する。

さらに、口コミを活用することは、利益アップだけではない。社員の精神衛生上にとってもプラスなのである。

お客に感謝されれば、社員は嬉しい。その結果、社員は、お客を笑顔で応対する。その笑顔に、さらにお客が引き寄せられてくるという善循環が起こるようになる。

口コミ・パワーを解放する。

そうすればお客が集まるだけではなく、社員の自尊心、愛社心も取り戻すことができる。

この本を読めば、口コミ・紹介を、一〇〇%コントロールできるだろうか?

残念ながら、そこまではお約束できない。この本は、現時点で、私が知っている口コミを起こす方法をまとめたものだが、正直なところ、完成された理論ではない。

しかし、この方法は、多くの会社により実践されてきた。

その結果を見る限り、確実に、お客がしゃべり出す。嘘だと思うだろうが、これには例外がない。

口コミを一〇〇%コントロールすることはできないが、二〇%でもコントロールできればいいのだ。なぜなら、ライバル会社は、口コミが起こることを祈るばかりだからである。

あなたは祈りに任せない。

この本は、口コミ・パワーを強める方法を、誰でも即、実践できるように書かれている。一〇〇%ではないが、その強大な力を、自社に有利にコントロールできるようになれる。

世の中には、もっと宣伝しないと、社会的損失になるような商品・サービスが埋もれている。優れた商品を持っている会社にとって、それを世の中に普及させていくのは義務なのである。その義務を果たすためには、「もっとお金があればなぁ、広告宣伝できればなぁ」といっている暇はない。

お客にしゃべってもらうために必要なツールは、すでにあなたの足元にある。後はそれを手にとって、使うだけなのである。

それでは、あなたの足元に転がっている、口コミツールとは一体、何なのか？　そのツールはどのようにすれば使えるのか？　どんな条件を満たせば、お客は勝手にしゃべり出すのか？　あなたの会社の話題を、お客からお客へ伝染させるにはどうすればいいのか？

その答えを、この本は、ご用意している。

早速、口コミ病棟のなかを、私がご案内しよう。

目次

第1章　井戸が枯れる前に水を汲め！

第2章 「口コミ五つの常識」を大研究する！

第3章 お客がしゃべりたくなる会社、無視する会社

第4章 あなたの会社で、口コミをコントロールするには

第5章 口コミを伝染させ、売上アップも同時に実現する5ステップ・プログラム

装幀・川島進（スタジオ・ギブ）
カバーイラスト・ソリマチアキラ
本文イラスト・川野郁代
写真提供・PPS通信社

第1章

井戸が枯れる前に、水を汲め！

勝ち組になれるという幻想

「最近、チラシの反応がめっきり悪いんです」

リフォーム会社から、悲鳴の電話があった。

「今年の四月までは、折込チラシ四〇〇〇枚に一件ぐらいの率で電話が鳴っていたんですよ。それが七月以降は五〇〇〇枚に一件、七〇〇〇枚に一件と減り続けて、いまや一万枚に一件も電話が鳴りません」

このような悲鳴は、何もリフォーム業界だけではない。住宅業界も同じ。住宅展示場への集客数は、またも昨年割れ。以前は、配れば加入があった保険会社のチラシも、反応は一〇分の一。

エステサロンは、大手エステ会社の倒産で消費者が警戒し、反応が激減。学習塾の経営者は、チラシを撒いてもさっぱりで、「もう魚は全部、釣れちゃったのでは……」と愚痴をこぼす。

もちろん、チラシを配ってウハウハになったという会社がないわけではない。住宅業界で、創業当初からチラシの反応が素晴らしく、半年も経たないうちに契約一七棟という華々しい結果を出す会社もある。広告が当たり、一ヶ月のうちに売上三倍になったエステサロンもある。学習塾でも保険代理店でも、伸びている会社は、同業者の嫉妬が怖いほど伸びているのだ。

これを「勝ち組と負け組の差が開いてきている」と結論付けるのは簡単。しかし、どうも私には、問題はもっと深刻であるという気がする。

勝ち組・負け組という比較には、まだ希望のにおいがある。負け組でも、知恵を絞り、努力すれば、勝ち組になれると思える。

しかしこれは幻想だ。

私はマーケティング・コンサルタントとして、全国二五〇〇社以上のクライアントを持っている。売上を即効アップしたいという差し迫った相談を、年間で二〇〇〇以上受けている。これだけの数の経営相談を一人でこなし、あらゆる業界から最新情報が集まるコンサルタントは、全国でも稀だと思う。

その実体験から言えば、どんなに頑張っても、負け組は負け続ける。なぜなら勝ち組・負け組の差は、能力の差にあるのではないからだ。頭がいいか悪いかは関係ない。努力をどれだけしたか、という問題でもない。

勝ち組と負け組みには、はっきりとした差がある。その差とは、何か？

勝ち組は、変化を楽しむことができるのだ。過去のルールや、成功体験を捨て去るいさぎよさを持っている。

一方、負け組は、いままでの成功体験にしがみつき、過去の延長で競争をしている。これでは頑張れば頑張るほど、体力を消耗させる。

ある経営コンサルタントの昼食会に出席したことがある。その際、衣料品店の経営者が、次のような質問をした。

「私は、安売りが終わって、そろそろこだわりの時代に入ると思うんですが、どうですか？」

コンサルタントの答えは、「あと二〜三年は、安売りが続く」ということだった。すると、その経営者は次のようにつぶやいた。

「それじゃ、もうしばらくガマンですな」

私はこれを聞いて、「勝負あったな」と思った。

というのは、この昼食会の前日に、別の経営者と電話で話していたからだ。こだわりの漬物を販売する経営者である。業界全体が、中元セールで昨年対比二〇％以上落ち込んでいるところを、昨年と同水準をキープした。デパートでの落ち込みはカバーできなかったが、直営店では昨年を大きく超えたという。

「業界が二割も落ち込んでいるんだから、好業績じゃないですか？」

と私は聞いた。すると、

「データベースの顧客数が増えたのだから、本来だったら、もっといけたはず」

と悔しがっている。

実はこの社長は、今期の初め、会社戦略を抜本的に変えた。消費者が見ただけで「これは買わなくては損」との印象を持つように、感情をベースにした戦略の再構築を敢行した。

「まだまだ安売りが続く」と、ガマンする経営者。一方「チャンス到来」と考えて、ワクワクと前向きに変革に取り組む経営者……。

あなたが消費者なら、どちらの企業を応援したいだろうか？

喉が渇く前に、井戸を掘るのを止めろ

いままでは、業績が落ち込んだら、頑張ればその努力が報われた。しかし現在は、頑張っても、体力を使い果たすだけである。

井戸を掘ることを想像してほしい。

井戸の水が枯れてくると、いままでは、努力して深く掘り進めれば、水は湧いてきた。効率よく掘り進むために、掘り方を研究する。そして掘るのが上手になれば、喉の渇きは癒された。

現在は、その井戸から、水が枯れてしまった。

ところが、水が枯れたことに気付かず、掘り続けている。シャベルの使い方をもっと上手くなろう、掘り方がもっと早くなれば水は湧いてくる、と信じながら……。

努力すれば努力するほど、体力を使い果たす。かえって喉は渇くようになる。

こうして深い井戸の底にはまり込む。この井戸から抜け出す近道は何か？

答えは簡単。

井戸を掘るのを止めることである。

重要なので繰り返す。

「井戸を掘るのを止める」

多くの会社は、この簡単なことができなくなっている。

「そんなにバカな会社ばかりじゃないよ！　コンサルタントは自分でやらないくせに、言うことだけは言うから信用できないッ」

あなたはそういって憤慨するかもしれない。確かに辛口に過ぎるかもしれないが、重要な点なので、もうちょっと聞いてほしい。水のない井戸を掘り続けるのは、優秀な会社でも陥る、落とし穴なのだ。

私のセミナーの参加者から、次のような質問を受けることがよくある。

「以前から、このチラシを配っているんですけど、効果がないんです。どうしたらいいでしょう？」

「チラシを配る目的はなんですか？」

「お客を集めることです。特に新規のお客を見つけないと、これから大変です」

「それじゃ、チラシを一万枚配って、新規客はどのぐらい集まりますか？」

「う〜ん、よく分からないんですけど、多分、ほとんど集まっていない」

「そうでしょう。チラシで集めたいのは、新しいお客。新規客を集めたいのに、このチラシで集まるのは、既存客ばかりじゃないですか？」

「そのとおりです」

「既存客を集めるには、買い物袋のなかに、お得意様限定のチラシをいれればいいですよね。ダイレクトメールで、セールを告知したり、またはファックス会員を募って、ファックスでお買い得情報をお伝えすることもできる。さらに最近では、電子メールで、タイムサービスを案内することもできる。商品を羅列したチラシで、新規客を集めるのは非効率的ですよね。チラシの効果はどうですか？」

「収支を見ると、赤字です」

「じゃ、なんでやるんですか？」

「利益が上がらなくても、売上が一時的にアップするんですよ。二〇％ぐらい。だから、損すると分かっていても、麻薬みたいなもので、止められないんです……」

井戸を掘り続けるのは
思考停止の危険信号

このスコップじゃ
だめだ！
新しいスコップに
してみよう

この掘り方じゃ
だめだ！
もっと上手に掘ら
なくちゃ

あ～、疲れた。
もうダメだァ～！

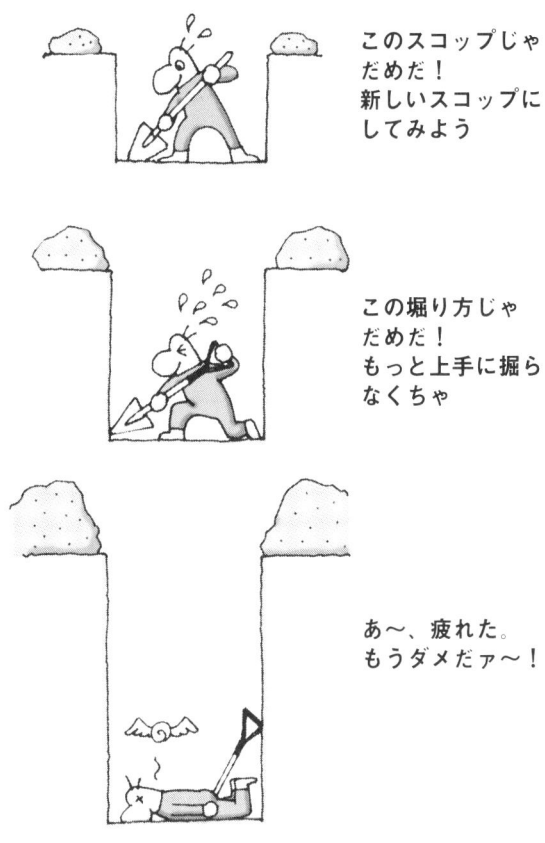

——麻薬と同じで、やめられない——

この言葉が耳についている。

現金商売だから、売上は現金で入る。一方、チラシ費用の支払いは二ヶ月先。だから現金ベースでは帳尻が合う。しかし、これじゃ確実に、廃人になる。

一時的に売上をあげるためにチラシを撒くというのは、聞こえはいい。

だが、現実には、罪悪に近い。

ある工務店から、新製品の住宅についてチラシの相談があった。

「これで最後のチャンスです。最後の賭けなのです。このチラシで失敗すれば、私の会社は潰れます」

との深刻な内容だ。

確かに、商品はいい。しかしチラシでは、その良さがあまり伝わってこなかった。

チラシの内容を徹底的に変更すれば、反応はよくなるかもしれない。しかし、私は、そのときハッと思った。

反応が良くなって、お客が集まったら、その後はどうするのか？

お金がないときの賭けほど、負ける賭けはない。金があるときのギャンブルは勝てるが、金がないときの賭けは負けるのである。

賭けをするのは勝手。しかし、家を契約した後に潰れたら、お客はどうなってしまうのか？

「これだけいい住宅を造れるんだから、危険なリスクを冒すより、いままでご縁を持ったお得意さんにモニターになっていただく。そして、まず住んでもらう。すると評判になるし、紹介も得られるでしょう。今回は利益が取れなくてもいいじゃないですか。ちょっと時間はかかるけど、そうやって口コミを広げたほうが確実。かえって近道ですよ」

私は、そう伝えた。


――このチラシで失敗すれば、私の会社は潰れます――

だったら、チラシを配らなければいいのだ。何も水の出ない井戸を掘る必要はない。

しかし過去からの習慣で、いいチラシを作ることに一生懸命になってしまう。他の方法がいくつもあるのに、それが見えなくなってしまう。

手を伸ばせば、豊富な水脈がそこにある

これまでにお話しした方たちの名誉に関わるので、もう一度、強調したい。勝ち組・負け組の違いは、経営者の能力の差にあるのではない。例に出した人たちも極めて優秀な経営者なのだ。ところが、優秀であるがゆえに、過去の成功ツールの改善に一生懸命になる。すると、いまの時代に一番必要とされている「変化対応力」を見失ってしまうのである。

それでは、「変化対応力」をアップするには、どうすればいいのか?

ちょっと前に話したとおり、枯れた井戸から抜け出すのは、掘るのを止めるのが一番早い。そして井戸の外に出て、まわりを見回すのである。

すると、井戸の外には豊富な水脈がある。新鮮な水が湧き出ているのだ。

その水が豊富にあるという事実を、まず認識しよう。そうすれば、変化するのが楽しくなる。

例を挙げて説明しよう。

ある家電店から、「生き残りを賭けている」と話があった。あなたもご存じのとおり、街の家電店は、量販店との低価格競争で、極めて厳しい状況にある。

私は、「生き残りをかける」という言葉を、信用しない。

なぜなら、生き残るぐらいだったら、簡単だからだ。


「生き残りを賭けていくわけですよね」

「そうです、激戦です」

「相手は量販店です。三〇〇〇億円企業です。価格じゃ勝てない。量販店は、いままでは低価格だけだったけど、これからはサービスも充実してくる。客観的に見て、勝ち戦に挑んでますか、それとも負け戦でしょうか？」

「多分、負け戦でしょう」

「それじゃ、店を閉めてください」

「…………」

「店を閉めたら、どうなります？」

「家族が路頭に迷います。新しいことを始めなくてはなりません。でも、何を始めたらいいんだか……」

「店を閉めたら、本当に、食っていけないかな？　いままで販売した商品のお客様へのアフターサービスがあるでしょう」

「そうですね、アフターサービスをやっていくだけで、当分は、何とか食えますね」

「店を閉めれば、固定費はかからない。社員も少なくて済むから、逆にもっと儲かるんじゃない？」

「そうかもしれませんが……」

勘違いしないで欲しい。私は別に「店を閉めてください」と説得するつもりはないのだ。しかし、井戸を掘ることを止めなければ、新たな水脈がそこにあることに気付けない。だから、「店を閉じる」という最悪の事態を想定して欲しいのである。

すると、最悪と思われた事態が、「それほど悪くない」という希望に転じる。

「現在、お客様名簿は、どのぐらいの数がありますか？」

「約一万五〇〇〇人です……」

「ということは、*八〇対二〇の法則を考えれば、約三〇〇〇人が継続的に買い物をしてくれる、お得意様ということになりますよね」

「ええ、大体、そのぐらいです」

「その三〇〇〇人分の名簿をベースに、通販部門を始めて健康食品を販売したら、一体、どのぐらいの年商が上がるでしょうか？　少なくとも一億円にはなると思います。しかも、粗利益は最低五割〜六割。この部門を三人ぐらいで回せます。とすれば、生き残るどころか、ベンツぐらい乗れるのでは？」


ここで「うちは家電店なんだから、健康食品なんか販売するのは間違っている！」という考え方も、もちろんある。私は別に「健康食品を販売しましょう」と言っているのではない。商品は何でもいいのだ。

要は、自分の売りたいものを販売するのではなく、お客が欲しいものを販売する。

これが商いの原点ではないだろうか？

お客が健康食品を欲しいのであれば、健康食品を販売すればいい。お客がリフォームをしたい、というのであれば、リフォームをやってあげればいい。
仕入れ先メーカーは、「家電業界で生き残るには！」と危機感を煽るだろうが、それは、自分の商品が売れなくなるからである。あなたには関係ない。仕入れ先を喜ばせなくても、お客から喜ばれれば、それでいいのでは？

家電は壊れないと需要は発生しない。だから壊れる時期にタイミングよくDMを出すのが売上アップの鍵になっている。そのため、他業界より顧客データベースの管理が進んでいる。購入履歴は当たり前、家族構成から誕生日まで、なんでもデータに入っている。他の業界にしてみれば、垂涎の情報である。
このデータベースこそが最大の資産。合法的に現金を印刷できる、キャッシュマシーンなのである。

「な〜んだ、新規事業をやれということか」と思われるかもしれない。

井戸を掘るのを止めると初めて豊富な水脈に気付ける……

新規事業と聞くと、足がすくむ。新規事業には多くのリスクが付きまとうからだ。誰もリスクの高い変化を起こそうとは思わない。

しかし、リスクがなく、新規事業を立ち上げられるとしたら？　そして、その新規事業の立ち上げによって、本業も活性化されるなら？

「生き残りをかける」会社は、例外なく、長年、商売をやっている。ということは、お客から選ばれているという絶大な信用があるのだ。

この信用があるために、通常の会社が新規開業するよりは、一〇〇倍、楽に、新しいことにチャレンジできる。

いままでのお得意さんにしゃべってもらい、口コミを味方にする方法が分かれば、新しいことは怖くない。

むしろ変化を楽しめるようになる。

笑顔で出発できる。

豊富な井戸の水も、汲めば、必ず枯れる

生き残りを賭けている会社に対して、現在、順調にお客が集まっている会社はどうか？

これがまた安心していられない。井戸は必ず枯れるのである。そして最近、痛切に思うのは、その水が湧く時間が非常に短くなってきているということである。

その水が湧き出ている一瞬を、うまく活用できるかどうか。

これが勝ち組・負け組を分ける、もうひとつの要因だ。


なぜ、チャンスは一瞬しか訪れないのか？

このことについて深く考え始めたのは、私の勉強会での、参加者との討論がきっかけだ。

醸造メーカーで、味噌・醤油の通販を行っていた会社の常務が発言した。

「小さな枠を使って新聞に広告を出しているが、一回広告を出すと、一〇〇人ぐらいの見込客が集まる。その後、お客に引き上げられる成約率が四割に届くようになった」

この数字は、業界の人が聞けば、大変うらやましい数字である。

この発言を聞いて、健康食品の通販を行っている「株式会社ヤマモト」の山本社長が、こんなアドバイスをした。

――一度仕組みができたら、一気に全国展開したほうがいいよ――

私はそのアドバイスを聞いたとき、「なぜ?」と疑問に思った。

味噌・醤油は、流行りすたりのない商品である。ひとつの新聞で成功したのだから、徐々にでも広告する新聞を増やしていけば、反応率は落ちないのではないか?

そこで私は尋ねた。

「いままで手をつけなかった地域や新聞に出した広告でも、反応が落ちるということですか?」

山本社長は、きっぱりと言った。

「そうです。反応率は全国的に悪くなっていくんです。だから、うまくいった仕組みは、一気にやったほうがいい」

山本社長は、自らの経験で確信していたのだが、当時の私には、非常にミステリアスな話に思えた。しかしいままでは、山本社長の考え方が実感としてよく分かる。

チャンスは、一瞬にしか訪れない。そのチャンスを逃してしまうと、次のチャンスはなかなか来ない。

だから時流に乗っているときに、広告宣伝を利用して、集められるだけ、お客を集める。その後は、口コミを中心とした営業に変更していくのが望ましい。

つまり広告宣伝の反応が一切なくなってしまっても、口コミ・紹介だけで十分ビジネスができる体制を準備しておくのである。

なぜチャンスが訪れる時期は一瞬なのか？

一体全体、どうしてこんな不思議なことが起きるのか。

ちょっと理屈っぽい話になるが、聞いて欲しい。

世の中のすべてのものには、ライフサイクルがある。

人間であれば、生まれ、成人して、衰え、そして死ぬという循環である。

この循環は、宇宙、星、植物から鉱物まで、万物に当てはまる。仏教でいう生々流転《しょうじょうるてん》の法則である。

マーケティングの教科書を読むと、商品の場合、このライフサイクルは、導入期、成長期、成熟期に分かれる。そして、それぞれの時期をグラフにすると、次ページのような成長カーブとなる。


「おい、俺はこんな当たり前の話を聞くために、お前の本を買ったんじゃないぞ！」と怒られるかもしれない。しかし、ちょっと辛抱してもらいたい。

この成長カーブは、多分、あなたが思うよりも応用力がある。私は「このカーブには、人生の成功原則が詰まっているといっても大げさではない」と思っているが、この重要性について、ほとんどの方が理解していない。

ぜひ、理解していただきたいのが、「会社が取るべき営業戦略は、導入期、成長期、成熟期に応じて違う」ということである。それぞれの時期で、効率のいい集客方法が異なるのだ。

ところが、そのことを知らないために、ほとんどの会社が、異なる時期に異なる方法を行い、損しなくてもいい金を損している。

感情マーケティング™による成長カーブと広告宣伝への活用

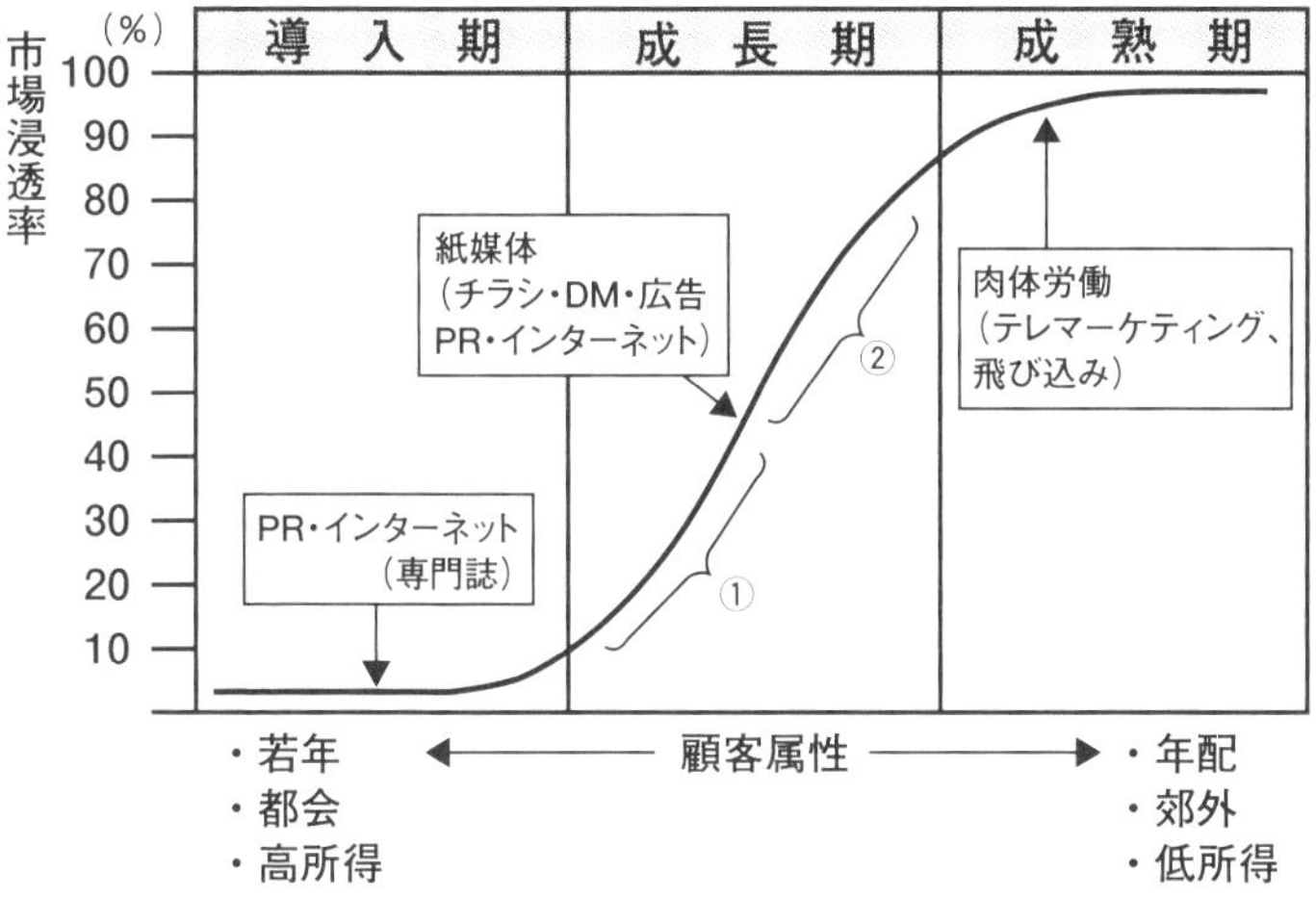

一体、三つの時期に、それぞれどのような集客方法を行えばいいのか?

まず「導入期」。

この時期の商品に、広告宣伝費を投入するのは、ドブ金に等しい。にもかかわらず、多くの企業が、広告に大金を投入する。

導入期の商品とは、新奇商品、見たこともない商品である。

ライバル商品がないから、一般的には、「こんな商品、ほかにはないよね、絶対売れるよ」と思われやすい。しかし現実に販売を開始すると、なかなか売れない。

なぜ売れないのかといえば、「こんな商品、他にはないから売れるよ」と思っているのは、哀れなことに、売ろうとしている当人だけであるからである。

お客の立場からすれば、「見たことも、聞いたこともない」商品だから認知すらされない。そこで広告宣伝を通じて認知させようとすると、莫大なコストがかかる。まぁ軽く一○億円ぐらいは吹っ飛ぶとみたほうがいい。その見返りは、税金が節約できる程度である。

だからこの方法は、お金の使い道に困っている大企業に任せておいたほうがいい。

賢い中小企業は、導入期の商品を販売しようとする場合に、広告宣伝に大金を投入するようなことはしない。この時期は、マスコミに記事を書いてもらえるようにＰＲ活動を重視したり、また本書のテーマである口コミを仕掛けていくのがベストな方法である。

次に、商品が「成長期」に入ると、今度は、広告宣伝が、集客の主役にとって代わる。成長期に入ったかどうかは、①二桁成長を続けているか、②ライバル商品が急に増え始めたか、③価格が低下してきたか、を目安に判断するといい。

例えば、ファックスや携帯電話が普及する過程を思い出してみるといい。いずれも当初は、非常に高価なものだった。しかしある時点から、多くのライバルが参入し、価格が下落する。それを発端に、急速にユーザーが拡大する。簡単に言えば、これが成長期に入ったという目安である。

成長期の商品は、広告は金がかかるが、その費用が十分回収できるぐらい、お客の反応が良い。極端に言えば、広告をしなくても、他社と同じことをやっていれば、エスカレーターに乗ったようにお客が増える時期ではある。しかし一気に客数を増やすために、広告宣伝というツールを活用することが、戦略上、効果的になる。

成長期は、費用効果的に客数が集まるというメリットがあるが、同時に、多くのライバルが参入し、価格競争が始まるので、利益率が低くなってくる。さらに成長期の後半になると、成長率自体にかげりが見え始める。広告宣伝の反応は下がりはじめる。その時期が、三九ページの成長カーブの②の部分だ。

このように理屈っぽく考えると、中小企業にとって、広告宣伝が最も効果的に活用できる時期は、成長期のほんの前半に過ぎないことになる（図では①）。この時期が、どのぐらい持つかが問題になるが、現在、多くの商品で一年、長くても二～三年程度になってきている。つまり、この時期を逃して、後で集客をするのは、極めて高い投資になってしまうのだ。

単品に絞り込むと、広告宣伝の反応率は何倍にもアップする

成長期を過ぎると、今度は「成熟期」に入る。

この時期は、淘汰の時期である。金を湯水のごとく使える企業同士の戦いに入る。中小企業は、大手企業と同じように広告宣伝をしていると、とても費用対効果が合わず、体力を使い果たす。

この時期に、資本力のない会社がとるべき有効な手段のひとつが、「専門化」である。

商品を絞り込んで、専門化することによって、再び広告宣伝の反応は上向く。

成長期は、広告宣伝においても、品揃え重視のほうが売上が上る。「うちの会社は、品揃えが多くて、安いですよ」と、できるだけ多くの商品を陳列したチラシのほうが、反応がいい。

しかし成熟期に入ると、このような品揃え重視の、百貨店型チラシでは、反応がとれなくなる。

この時期は、成長している商品だけに絞り込んで専門化していったほうが、お客からの反応がとれる。百貨店型の広告と比較して、反応が数倍も良くなることが多い。

例を挙げよう。

あなたもカジュアル・ウェアの「ユニクロ」→の広告をご覧になったことがあると思う。「フリース一九〇〇円」という広告である。一着のフリースの写真をどでかく掲載している。

この会社も単品に絞り込んだ広告を行っている。なぜならカジュアル・ウェア業界は成熟期になっているから、百貨店型の品揃えタイプの広告では、反応が得にくい。そこで単品に徹したほうが、広告に対する反応がいいのだ。

→「ユニクロ」http://www.uniqlo.co.jp

ここで注意して欲しいのは、私は、「販売する商品を絞り込んで欲しい」と言っているわけではないということ。広告する商品を絞り込んで欲しいのだ。

来店した後は、商材がいっぱいあっても問題はない。

ユニクロの店舗に行ってみると、売っているのはフリースだけではない。当然、その他のカジュアル・ウェアも豊富にある。つまり、効率のいい広告宣伝でお客を来店させた後は、何を売ってもいいのである。

同様の戦略をとる例は、通販業界では多い。

例えば、印鑑の通販会社がある。有名新聞で広告を頻繁に出している会社だ。

私はこの会社の広告を見ながら、「印鑑のように、購買頻度が低い商材で、よく大新聞に広告を出してペイできるな」と思ったことがある。「多分、原価を安くしているのだろう」とあまり品質を期待せず注文した。

すると予想ははずれ、印鑑の質は非常にいい。

顧客サービスも充実していて、その後、総合カタログを頻繁に送ってくる。カタログを見てびっくりした。販売しているのは印鑑だけではなく、文房具、健康食品から、さらには年配者用のオムツまで販売してるのだ！　つまり印鑑は、単に顧客リストを集める手段にしか過ぎなかったのである。

このように成熟期の業界に参入する場合には、単品で切り込んで、効率的に顧客リストを集める。その後に、商材の幅を広げる。これが効率的な戦略になっている。

ユニクロの高級版といわれる「GAP」は、カジュアル・ウェアを軸として、スニーカー、石鹸、香水、化粧品等の周辺商材を充実させている。さらにインターネットにおける書籍販売大手の「アマゾン・ドット・コム」→は、書籍を核にして顧客リストを集め、最近では、CDからおもちゃまで、あらゆる商品を扱い始めた。

このように成熟期に入った場合は、専門化することで、広告宣伝の反応をアップすることができる。

しかし専門化するためには、商品や社内体制自体を見直す必要性も出てくる。その見直しが常にうまくいくとは限らない。

さらに専門化により反応率は良くなるが、その反応率も、徐々に低下していくことは避けられない。

そこで成長期には、費用対効果的に広告宣伝を活用し、一気に顧客リストを集めておく。

→「アマゾン・ドット・コム」http://amazon.com

そして、その好調な時期が終わる前に、成熟期に向けて、口コミ・紹介という金がかからないシステムを準備しておくのが、最も安定的に収益を確保できる方法となる。

口コミ・紹介をシステムとして導入する

極端に言えば、成長期はバブル時のように、蛇口をひねれば誰でも水が汲める。しかし、その時期に何をやるかで、将来の事業の安定性が決まる。

冬の到来を考えずに、ぬくぬく怠けていると、そのツケの支払いが重くなる。

実例で、説明しよう。

二つの会社が、浴室用の浄水器を、同時期に新発売した。

どちらも既存客が二〇〇〇～三〇〇〇名ぐらいいる会社である。二社ともメインの商品として、数年前から、一〇万円以上する飲料用の浄水器を販売してきた。しかし、そのメイン商品の成長がかげってきたので、関連商品として浴室用の浄水器を発売することにしたのである。

二社ともダイレクトメールを使って、新商品を告知した。

一社の販売した浴室用浄水器の価格は八万円。もう一社の販売価格は八〇〇〇円である。製品品質は、ダイレクトメールからは分からない。なぜなら、広告表現を見る限り、どちらも同じようなことが書いてあるからだ。

さてあなたは、どちらの会社が高い反応率を得られたと思うだろうか？

常識的に考えれば、値段が安いほうが反応がいいはずだろう。

しかし実際には、八万円の高い商品が七％の購買率。そして、八〇〇〇円の安い商品が二％程度の購買率だった。

私は、八〇〇〇円の価格帯であれば、最低でも一〇％、良ければ二〇％の購買率を目指せるのではないかと思っていた。どうしても、この二％という低い数字に納得できなかった。そこで、反応が低かった会社の社長に、率直に聞いてみた。

「お客さんが、以前の商品を買った際に、『買わなけりゃ、良かった』と思っている可能性はないですか？」

するると、とても謙虚に社長が答えた。

「そうかもしれません。以前の商品を販売したお客さんを、ほったらかし状態にしていた、そのツケが反応率に表れていると思うんです」

何年も前のお客への対応が、成約率に大きく影響する。当たり前といえば、当たり前の話だ。しかし、こうして二社の売上の結果を数字で明確に示されると、背筋が寒くなる。

成長期には、「お客は無料《タダ》で湧いてくるものだ」と思いがちである。しかし、その好調なときほど、次の時期に向かって準備を開始しなければならない。なぜなら、好調なときも、必ず数年で終わりがくるからだ。その成長がかげったときに、「新規、新規」と新しい客を追い求めるのは、いばらの道を選択するということになる。

「広告宣伝は、三年後に終わりにしましょう」

いままで話したことを、一言でまとめると、このようになる。広告を止めることを前提に、経営する必要があるのだ。

私が、以前この結論をセミナーで言ったとき、ある社長が心配された。

「みんなが広告宣伝をやめちゃったら、神田さんは、どうするのですか？」

私が広告宣伝の反応をアップする方法を教えていたもんだから、そう心配してくれた。

しかし私は、真剣に言っているのだ。

広告宣伝の目的は、広告宣伝費がゼロでもやっていける会社をつくることなのである。それは実体験に基づいている。

私は、創業当初から広告宣伝をやっていた。マンションの四畳半の押入れに事務所を構えてから三ヵ月後には、日経新聞の一面に広告を出していた。当時、日経新聞に広告を出している会社のなかで、実態は四畳半の事務所、というケースは、私ぐらいだったんじゃないだろうか？

広告を出すコンサルタントは極めて稀だ。なぜ私が広告にこだわっていたかといえば、広告を使いこなせば、自分の肉体という制約を超えて二四時間、集客できることを知っていたからである。

そのおかげで、ダイレクト・レスポンス・マーケティングを実践する組織としては日本最大の組織を、極めて短期間に作り上げることができた。

しかし現在は、ほとんど広告宣伝をすることがない。なぜなら、口コミ・紹介だけで十分に集客できるからだ。

広告宣伝は極めて重要である。ところが、年がら年中やればいいというものではない。

商品には波がある。その波に沿って、集客ツールを正しく使っていただきたい。何も波に逆らって、無駄な投資をする必要はない。

広告宣伝を三年後に終わらせるためには、好調なときに、十分、顧客数を稼いでおき、そのときから口コミ・紹介のシステム構築を準備する。そのためには、口コミという最強の方法のパワー、のほんの一部を解放してやればいい。

ところが、この口コミについては間違った常識が多いため、ほとんどの会社が、本来得ているはずの利益を、毎年捨て続けている。

その間違いだらけの常識から脱することで、口コミ・パワーを、あなたがコントロールする方法が見えてくる。

＊八〇対二〇の法則（三一ページ）
投入、原因、努力のわずかな部分（二割）が、産出、結果、報酬の大きな部分（八割）をもたらすという法則。ビジネスに当てはめると「二割の顧客が八割の収益を上げる」ことになる。実際計算してみると、この法則が当てはまる会社が非常に多い。興味を持ったなら『人生を変える80対20の法則』（リチャード・コッチ著　TBSブリタニカ刊）をぜひ読んで欲しい。本当に人生を変えるインパクトがある。（神田）

＊最も安定的に収益を確保できる方法（四六ページ）
口コミ・紹介を成熟期で重視するというタイミングは、ライフサイクル理論にもかなっている。なぜなら、成長カーブの後半で反応する人をいうのは、英語では「ダイハード」といわれる人種。他の大多数が購入して初めて購入を決断する、そういう極めて慎重な人が最後のカーブを描くからである。（神田）

第2章

「口コミ五つの常識」を大研究する！

口コミに関する一般教養テスト

問題：次の文章のうち、口コミに関して適切な記述と思われるものに○を、不適切な記述と思われるものに×をつけなさい。

（　）顧客満足を高めることにより、口コミは起こる。

（　）商品品質を良くすれば、口コミは起こる。

（　）良い口コミよりも、悪い口コミのほうが、早く伝染する。

（　）口コミは、お客がするものである。

（　）口コミは、どんな業界でも、最高の宣伝媒体である。


「こういう質問を出しているんだから、常識と異なる答えを用意しているんじゃないか」

なんて、裏読みしていませんか？

さすがです。見破られましたね。

答えは、全部×である。

しかしながら、全部×というと、誤解を招くかもしれないので、説明を補足しておこう。

右の記述は、一般的な商売人が、口コミに関して、なんとなく思っている見解だ。

口コミは、勝手に起こる。だから一生懸命、真面目に仕事をしていればいい。そう思っていることが多い。

真面目に仕事をしていれば、世の中に認められ、利益がついてくる。これは大金持ちが、雑誌に取材されたときに言うセリフである。

なぜ成功者は、このセリフが好きか？　そう言っておけば誰からも叩かれないからである。金持ちが「いや〜、お金っていうのは、集まるところには集まるんですよ、ガーハッハッ！」などと本音を言うと、日本では徹底的に叩かれる。

成功者は、建前を言っているだけなのだ。それを正直に聞いてしまうと、勘違いする。「そうか、俺も真面目にやっていれば、そのうち成功できる」と、幻想を持ってしまうのである。

「真面目に働けばいい」というのは、聞こえはいい。しかし、現実には、楽な選択肢だ。誰からも叩かれない。そして、一生懸命、仕事をこなすという日常業務　―　すなわち、頭を使わない労働――を正当化する。

頭を使わない労働は罪である。肉体労働とは、電話をとって、書類を片付けて、そして雑事に追われるという作業である。これは価値を生まない。そして、頭を使うより五倍楽な作業である。

お金持ちは、体を使わず、頭を使う。だから日常業務をして「あぁ、忙しい」という金持ちを探すのは難しい。仕事をしないで、「年間の半分は旅行に行っています」という人ほど儲かっている。これが現実だ。

常識に沿っていると、常識的な結果しか出せない。口コミについても、なんとなく常識を信じていると、本質が見極められない。そこで、一般的に信じられている口コミに関して脱・常識を試みることにしよう。

口コミの脱・常識 その❶

顧客満足が得られれば、口コミしてくれる

一〇年以上前の話だ。

ニューヨークに住んでいたころ、歯医者に行った。

土曜日に大きな治療をした。そして翌日、日曜日。麻酔が切れて、部屋でうんうん唸っていた。そのとき電話が鳴った。一体、日曜日の午前中に、誰からの電話だ？

「ハロー、カンダサン？」

びっくりした。歯医者の先生からだ。緊急のことでも起こったのだろうか？

「歯の調子はどうだい？　心配だったから電話したよ。もし何かあったら、これが自宅の電話番号だから、いつでも電話してくれ！」

正直、メチャクチャ感動した。感動しただけではなく、「アメリカの歯医者は凄い」と一〇年以上経ったいまでも、話し続けている。しかも、こうして本にまで書いている！

どうして私は、こんなに口コミをしているのか？

その歯医者の治療のレベルが凄かったのか、といえば、決してそうではない。実は、その歯医者で治せなかった歯が、浦和（私の事務所があるところ）の歯医者で、いとも簡単に治ってしまったのだ。

技術によって口コミしていたわけではない。日曜日に電話をくれたという事実に、一〇年間、感動しているのだ。しかも、浦和の歯医者に治してもらうまでは、あのニューヨークの歯医者は、絶対に名医だと思っていたのである。

期待させないという高度テクニック

「口コミになったのは、そりゃ、顧客を満足させたからだよ」と言われるかもしれない。しかし、ここで考えてみたい。一体、顧客満足とは何か？

日曜日に、車の販売店から電話があって、感動するか？　ノー。うるさいからやめて欲しい。

それじゃ、日曜に電話をするという行為自体は同じなのに、なぜ歯医者の場合は感動するのか？

その理由は、「まさか、そこまでやってくれるはずはない」と歯医者に対する期待が低いためだ。そこで、一本の電話にさえ痛く感動する。

このように期待が低ければ、ちょっとしたことでもお客は感激する。そして口コミを始める。しかし、期待が高いと、お客はどんなに素晴らしいサービスを受けても、感激しない。請求されたお金を払うだけである。つまり期待と現実のギャップが、人の気持ちを動かすのだ。

このことを期せずして実証したのが、故小渕首相だろう。

カリスマ性ゼロ。誰にも期待されなかった。政治能力は問題にもされなかったので、ボキャ貧だの、ブッチホンだのとからかわれていた。

ところが、笑われているうちに、ほんのちょっと実績が上がると、風向きが変わった。「意外にやるじゃない？」と支持率が上昇した。

そして急にいなくなった時には、小渕首相を惜しむ声が相次いだ。期待されなかったために、大変な支持を獲得できた例である。

歯医者、そして小渕首相に当てはまることが、レストランでも当てはまる。

実は、うちの家族は、あるレストランに凝ったことがある。食事はうまい。環境も抜群に良い。値段も安い。ところが、そのうち行かなくなってしまった。

というのは、ホテル並みの環境でありながら、オーダーするのに手間がかかるのだ。ウェイトレスが出てこないので、オーダーするのに、いちいち手を挙げて、大げさなアクションをしなければならない。居酒屋だったら、「すいませーん」と大声が上げられるものの、環境がホテルみたいだから、大声を上げられない。すると、腹を空かせてテーブルで待ちぼうけになる。子供は騒ぎ出す。

このような気まずさを感じるのが嫌で、ほどほどのファミリーレストランに戻ってしまった。そこは味もサービスも大したことはないが、たまに店長が小さな親切をしてくれる。「いつもありがとうございます。今日は、ポイントカードはお持ちじゃないんですか？ではレシートに判を押しておきますから、次回、カードをお持ちください」

ファミリーレストランで特別な待遇を受けたことが妙に嬉しい。

なまじっか期待が高いレストランは、ちょっとしたサービスの手落ちにでも、クレームを言いたくなる。

サービスが悪いからクレームになるのではない。期待が高いから、クレームになるのだ。

多くの会社は、期待を高めすぎて失敗する。「これもできます」「あれもできます」と期待させる。理由は、買ってくれないからと思うからである。ところが、これは逆効果。最近のお客は、「うちはサービスも価格も、品質もすべていいのです」という会社を信用しない。そう言われれば言われるほど、胡散くさく聞こえる。

何でもかんでも期待させるよりは、できないことは、できないと言う。「うちは、何とはできません。その代わり、これは最高です」と言ったほうが、真実味がある。お客は、はじめの「何と何はできません」という部分を聞いて、「この会社は正直だ」と思う。その結果、次に続く言葉、「これは最高です」を、無条件で信用してしまうのである。

現在の風潮では、顧客満足NO1が標語になっているため、かえって口コミを難しくさせているのである。お客の期待を高めて、その期待と同じサービスを提供するのであれば、それは、お金を払うだけ。口コミはしない。

お客の期待を戦略的に下げることが重要だ。お客の期待を落としておいてから、それ以上のサービスを提供する。すると……しゃべりたくなる。

口コミの脱・常識　その❷
商品が良ければ、口コミする

あなたにクイズです。「いい人」は口コミされるだろうか？

まあ、話題にはなる。しかし芸能界を見ても分かるとおり、噂になるのは、危険な香りのする男、魔性の女優のスキャンダル。怖いもの見たさの野村沙知代だったりする。単に、「いい人」では話題にもならない。

「あの人って、いい人よね〜」

と聞かれても、

「そうね、本当ね」

と答えて、その後、会話が続かない。

「いい人」同様、単に「いい商品」では口コミにならない。商品品質がいいことは、口コミになって売れていくための条件ではある。しかしそれは、あくまでも必要最低条件であって、十分条件を満たしていない。

それでは、口コミになるための十分条件とは一体、なんだろう?

ひとつは、「劇的な体験」である。

福岡に「一蘭」というラーメン屋がある。いつもお客が深夜まで行列している。口コミで流行っている、典型的な店といってもいいだろう。

味がうまいのは当たり前として、何が違うかといえば、そもそも店が違う。

入り口に立ったお客は、まず戸惑う。着席すると、まわりに敷居があり、隣が見えない

ようになっている。一緒に来た友達とも話せない。その狭い一角で、ブロイラーのように
ラーメンを食べることになる。
　一蘭では、これを「味集中カウンター」と呼んでいる。食べるときに不要なものを一切
排除して、味に集中することを追求した結果のシステムだという。その他にも、待ち時間
を電光表示板で示したり、お客が、注文の際に味の好みを所定のフォームに記入して渡す
など、通常のラーメン店とは大きく趣が異なる。するとお客は、ラーメンを食べるという
よりも、その店の特異な空間に圧倒されるわけである。このように口コミになる店という
のは、「面白い」「凄い」「変な」という形容詞がつくような劇的な空間であることが多い。
　さらに、この店には、お客の記憶に粘りつくような、面白い仕掛けがあるのである。
ラーメンを食べるブースに入ると、目の前に、赤い暖簾がかかっている。赤い暖簾には、
その店のうんちくが書かれている。友達と一緒に来ても話ができないから、それを黙々と
読むことになる。
　暖簾には、次のような物語が書かれている。
「一蘭初代店は、日本初の会員制ラーメン店。他店のラーメンを一切口にせず、日本料理
を食べ味を研究し、秘伝のたれを完成させた……」

さて、あなただったら、この店でラーメンを食べた後に、友達にどう話すだろうか？「昔、会員制のラーメン屋だった」「日本料理を研究して作ったラーメン」という言葉を使うだろう。なぜならば、暖簾の物語が頭にこびりついているからだ。また、単においしいというよりは、「会員制」「日本料理」という言葉を出したほうが具体的で、友達にも伝わりやすいからである。つまり口コミという伝言ゲームをするのに、伝わりやすいキーワードを選択しているのである。

しかも右側の壁には、財布に入れられる大きさのしおりが、持ち帰れるように立てかけてある。しおりには、先ほどのうんちく、一蘭の商品、そしてお店の場所が掲載されている。お分かりになるように、このしおりも、一度来店したお客が、知り合いに口コミを伝えやすいように作られた仕掛けだ。

このように口コミになるには、商品品質だけではなく、劇的な体験や、伝言ゲームをスムーズに行っていくための仕掛けが必要になる。

売る側は、品質に対して非常に神経質だ。品質が良ければ、評判になると思い込む。しかしお客は、売る側ほど商品知識を持っていないから、品質について、正確に判断できない。そこでお客は、自分が違いを認識できるところで、全体の品質を判断する。

例えば、私は歯医者の技術は正確には分からない。しかし、電話をくれるかどうかという違いは認識できる。そこで、日曜日に電話をくれたということで、名医だと思い込んでしまう。

このように期待と現実とのギャップがある体験――劇的な体験――が起こったとき、お客は違いを認識する。その違いが大きくなればなるほど、感情のバランスが崩れる。その崩れたバランスを回復するために、人に話したくなる。話さないと、どうにも落ち着かない。これが口コミの原動力だ。

だから徹底的に、演出がかかった空間を作れば、話題になる。

典型的な例が、ディズニーランドである。当初、ディズニーランドが話題になったのも、「掃除をする人たちまでが演技する」ということからである。期待と現実のギャップが大きいところで、まず噂が起こるのだ。

一蘭も、味だけでは、ここまで口コミにはならなかっただろう。味に関する現実と期待のギャップ――他店とのおいしさの違い――は、広げても限界がある。しかし、その他の部分――おいしいと感じさせる物語、注文のシステム、食べる環境については、ギャップ

ロコミのギャップ理論™

通常は雑念で埋まっている頭に期待と
異なる情報が入ることで、ロコミが引き起こされる。

ギャップ ＝ 現実 − 期待

現実 ← 実際経験した内容
期待 ← 事前に予想した内容

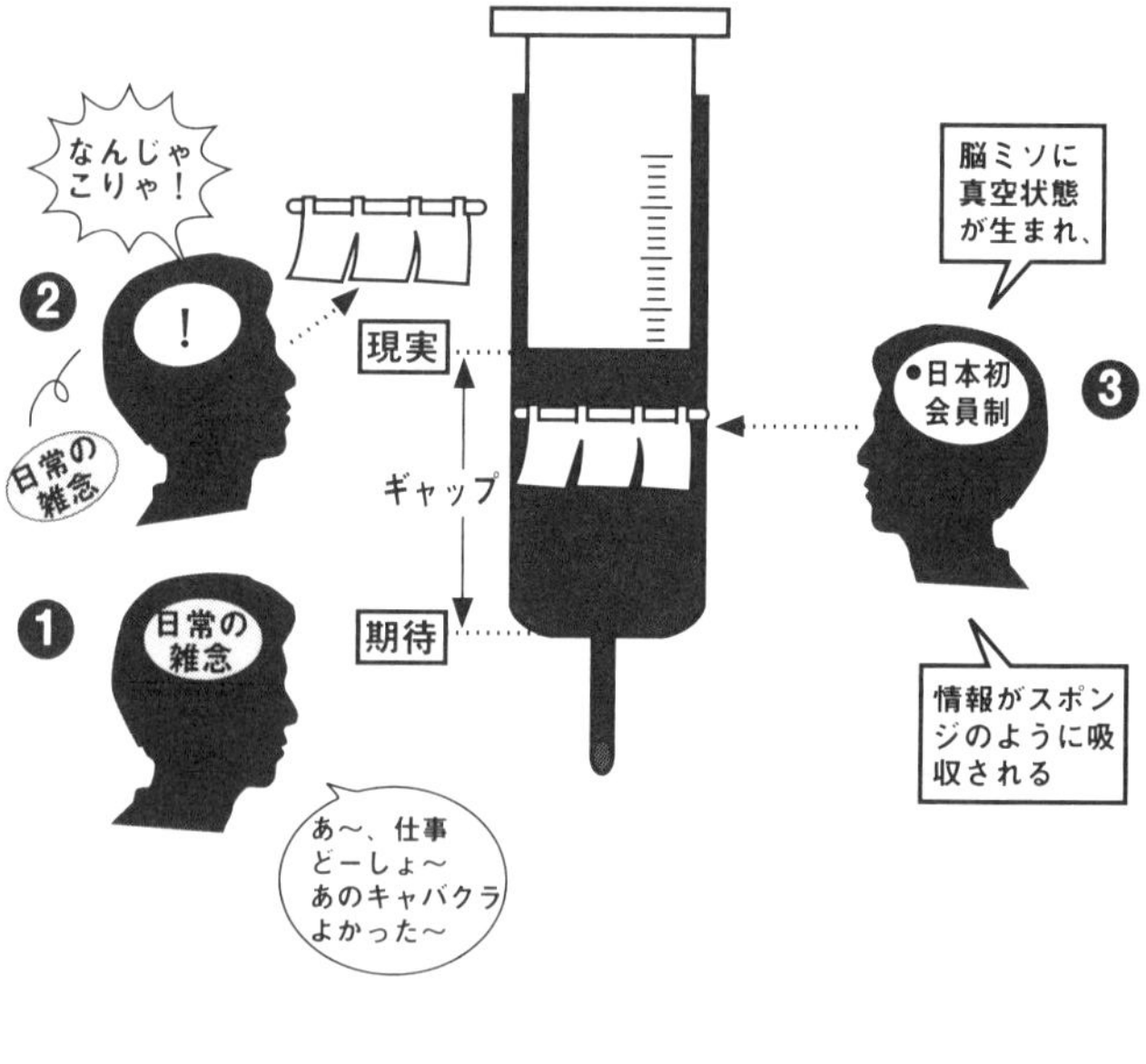

を広げることに見事に成功した。

お客は店内に入ったとたん、「なんじゃ、こりゃ」と感情のバランスを崩す。バランスが崩れると、心に真空状態が生まれ、新しい情報を受け入れる用意ができる。そこで暖簾の物語を読み込む。「日本初の会員制」「日本料理を研究」という分かりやすいキーワードが、頭にこびりつく。そして、その言葉を、伝言ゲームのごとく人から人へ伝えていくのである。

お客が最も期待しないのは、どの部分か？　そこで、どんな劇的な瞬間を、お客に体験させることができるか？　これが、あなたの会社が口コミを誘発させるためのポイントだ。

口コミの脱・常識　その❸

悪い口コミほど、早く伝わる

以前、イタリア製の洗濯機の輸入販売を計画したことがある。その際、意外なことがあったので、お話ししよう。

その商品は、洗乾一体といって、洗濯から乾燥まで一台でできるという商品である。

当時、似たような機種が、別の会社から通信販売で大々的に販売されていた。調べてみると、ロゴは違うが、中身は、私が輸入しようとしている機種と同じだった。ある大手メーカーのイタリア工場で作っているOEM商品だ。

品質を確かめるために、故障率を調べた。そして判明したのが、この洗濯機は、故障率四〇％以上の問題機種だという事実。

他の国では、「洗乾一体」ではなく、「洗・乾・調理一体」と笑われていた。つまり、ときどき火を噴くので、「この製品には、目玉焼きができる調理器もついている」というジョークである。本来ならば、リコールされてしかるべきの問題商品なわけだ。

私は、当然日本でもユーザーからの不満が爆発しているだろうと思った。しかし調査してみると、火を噴く可能性のある洗濯機に、ユーザーは大満足。「この洗濯機は最高」と、嬉しそうに口コミしているのだ。

私は、理解不能に陥った。

ビジネスの常識では、三対三三の法則というものがあり、満足な場合は三人にしか話さないが、不満な場合は三三人に話すといわれている。簡単に言えば「悪い噂は、いい噂よりも一〇倍早く伝わる」ということだった。この法則が当てはまるとすれば、「火を噴く」

商品であれば、かなり早いスピードで悪評が広まるはずである。ところが現実には、全くその様子はみられない。

なぜ悪評が広がらないいか？　私は二つの理由に思い当たった。

ひとつは、「高い洗濯機を買ったこと自体に満足している」ということ。自分の行った購買決定が間違っていたことを認めたくないので、多少の品質には目をつぶるのだ。火を噴いても「さすがイタリア製よね」と納得してしまう。新車のフェラーリにサビがついていても、「さすがフェラーリだ」と感心してしまうのと、同じ心理だろう。

もうひとつの理由としては、私が思っているほど多くの人は、「洗濯機を話題にしない」ということがある。このイタリアの洗濯機を買ったお客は、かなりの洗濯好きである。洗濯機マニアで、いろんな洗濯機のカタログを集め、比較検討しているかもしれない。しかし、その他、大多数のお客は、洗濯機にあまり関心がない。一人がどんなに不満をぶち上げたいとしても、話相手が見つからないのである。

悪評を三三人に伝えようにも、話を聞いてくれる三三人を探し当てることができない。

「自分は洗濯機について二四時間三六五日考えているが、お客はほとんど考えない」

この気付きがあって、私は肩から力が抜けた。ほとんどのお客は、あなたのことは、どうでもいいのである。

　これは人間関係でも同じだろう。「あの人は、私のことどう思っているのかしら」「私は、きっと勘違いされているんだわ」と考える。しかし、相手に聞いてみると、気を揉むほどのことはなかった。あなたも、こんな経験はないだろうか？

　お客が一番関心を持っているのは、自分のこと。あなたのことは、どうでもいいのである。

　なぜ私がこのことを強調したいかといえば、噂に対して過剰反応してしまうと、ときにマイナスに働くことがあるからである。

　こんな相談を受けることがある。

「うちの会社が潰れる、とお客さんの間で、噂が広まっているらしいので、こんなダイレクトメールを書いたんですけど……」

　そのダイレクトメールの内容は、「うちは健全無借金経営なので、潰れるというのは、全く根拠がない噂です」というものだった。これを顧客リスト全員に出そうしている。ちょっと心配になったので、私は噂の出所を聞いてみた。

「御社が潰れるというのは、どなたから聞きましたか？」

「うちの取引先が――お客さんでもあるんですが――そういうふうに言われていたよ、と教えてくれたんです。その人一人だったら、あまり気にしなかったのですが、ほかにも、教えてくれる方がいましたので……」

「噂の元は、同業他社じゃないですか？」

「そうかもしれません」

「多分、お客の九九％は、そんなこと知りもしないでしょう。そもそも御社の業界のことを消費者が話題にするとは、あまり思えないんです。噂しているのは、同業他社だけですよ」

なぜこのように冷静な対応を促しているかといえば、「自分が潰れません」というようなダイレクトメールを出すということは、悪い噂をお金をかけて宣伝しているのと同じだからである。わざわざ手紙を送っても、「火のないところに、煙は立たない」と思われるだけなのだ。そんな噂を打ち消す手紙を書くぐらいなら、「自分たちは、こんなに楽しく仕事をやっています」「お客様はこんなに満足しています」と売り込んだほうが、よほど不安の解消になる。

あなたは、お客にどう思われているかが気になるだろう。しかしお客は、あなたが潰れようが知ったこっちゃない。お客は、「今日の夕飯どうしよう」とか「あのキャバクラ嬢はいいいな」とか、そういった自分のことで、ほとんど頭が埋まっている。だから、あなたの側で努力をしなければ、悪評は伝わることがないのである。

後で詳しく説明するが、食品業界、外食産業のように口コミが早く伝わる業界では、悪評に対しては、緊急性を持って対応しなければならない。しかし、その他多くの産業では、お客はあなたの会社について、あなたが思っているほど関心はない。

いい口コミを広げるのも難しいが、悪い口コミを広げるのも同様に難しいのだ。悪い噂があったとしても、過剰反応する必要はない。冷静に対応しよう。

口コミの脱・常識 その❹

口コミは、お客がするものである。

「味とこころ」(愛知県・安城市)という会社がある。こだわりの調味料醸造元であり、通信販売をやっているのだが、この会社には、「歩け歩け」というイベントがある。社員だけではなく、お客や取引先も参加する。何をするのかといえば、一〇〇キロの道のりを歩く。延々と歩く。

初めて聞いたとき、私には一〇〇キロ歩くというイメージが湧かなかった。しかし一時間で五キロ歩いたとして、二〇時間！　眠らないで、歩き続けるわけである。

ある社員は、足が痙攣する。ある会社社長は、足のつめがはがれた。とてもじゃないが、一人では歩けない。すると、まわりのみんなが助け合う。伴走する者が懸命に足をマッサージする。各々が限界に挑戦し、助け合いながら完歩できるわけである。参加者はゴールで、完歩した者もできなかった者も涙を流し合うという。

社員はこのイベントにあまりに感激するので、あちこちでしゃべりまくる。売り込みそっちのけで、お客にしゃべる。仕事そっちのけで、取引先を誘う（ちなみに私も何回も誘われている）。こうして、口コミがどんどん広がっている。

この会社の社員に会うと、とにかく会社の話をする。普通は、会社の話は、自慢話にとられやすいだろう。しかしこの会社は、そういう印象を全く与えない。とにかくイベントが目白押しで、その楽しさ、そして社長の人間性の素晴らしさを社員全員が話しまくるのである。

私もサラリーマン時代に取引があったので思い出すのだが、ソニーの社員も自社のことをしゃべりまくる。何人か集まると、必ず創業者の井深大氏、そして盛田昭夫氏のことを熱っぽく語っていた。目に涙を浮かべる社員さえいる。

どちらの会社も社内に、社外に向けて、熱っぽく語れるものがある。このような会社が、口コミが起こりやすい会社の典型である。

「口コミはお客がするもの」との常識がある。ところが、口コミは社内から起こる。なぜならば、簡単なこと。会社から情報発信がなければ、お客には情報が届かないからだ。情報がなければ、お客は話題にしようにもできない。

「言うことは分かるけど、うちの会社には一〇〇キロ歩くイベントはないし、またソニーのようにカリスマ性のある社長はいないし……」

とおっしゃるかもしれない。

そんな会社にうってつけの方法があるので、お教えしよう。

これをやると、社員が喜んで、お客、そして自社について話し出すようになる。

簡単な方法なのだが、万能薬だ。その万能薬とは……。

お客様の声を聞くことである。

「な～んだ、そんなことか！」と思われるかもしれない。しかし、超有名コンサルタントを雇う以上の、信じられない効果がある。

あなたの会社では、お客様の声を聞いているだろうか？

「はい、聞いています」というところの多くは、実は、アンケート調査をやっている。「商品品質はどうでしたか？」「弊社社員の対応はいかがでしたか？」「価格については、どうでしたか？」等々。お客が答えやすいように、マルをつけるだけでいい。そして、最後に、「ご意見・ご批判があれば、ご自由にご記入ください」となっている。

これは、致命的な間違い。

これは満足度調査であって、お客様の声を聞くこととは根本的に目的が違う。満足度調査は、あくまでも客観的な調査が目的。お客様の声を集めるのは、お客とのコミュニケーションを取るのが目的である。

満足度調査をやると、お客はマルを付けるだけ。コミュニケーションにならない。しかも日本人は真面目だから、必ず「ご意見・ご批判をお願いします」とやってしまう。「批判を聞く」ということが美徳になっているからである。お客はその期待に応えてくれる。「この会社は批判を聞きたいのだな。だったら、批判を書こう」と、親切に重箱の隅をつついてくれるわけである。

すると社員には、お客からのクレームばかりがインプットされることになる。否定的な意見ばかり、毎日聞かされる。社員は、会社の商品について、自信を持てなくなる。クレームのなかには、タチが悪いものもある。さらに、やる気を失う。こういう悪循環に入っていく。

社員はクレームばかり聞くよりも、誉められるほうが、数倍やる気になり、生き生きと仕事に取り組むようになる。

このことを体感するために、あなたの会社でできる実験をご紹介しよう。

まず社員のなかから、鬼を一人決める。鬼には、部屋の外に出て行ってもらう。残りの社員は、その鬼にやってもらうある行動を決定する。例えば、ドアから入ってきて、机の上にある水差しの水を、コップに注ぐという行動だ。

行動を決めたら、鬼にドアから入ってもらう。そして、どれだけ早く鬼が、みんなが決めた行動を完了できるかという実験である。

初めは、鬼が間違った行動をするたびに「ブーッ」と声を上げる。例えば、黒板に文字を書こうとすると「ブーッ」。窓を開けようとすると「ブーッ」。こうすると、まもなく鬼は身動きが取れなくなって、ゲームを続ける意思をなくしてしまう。

次に、別の鬼を指名する。そして、正しいことをした場合には、拍手をする。コップに近づいたところで拍手。水差しに触ったところで拍手となる。すると、まもなく行動を完了することができるのである。

満足度調査で、「ご批判をお願いします」というのは、社員に向かってブーブー警告ブザーを鳴らすようなものである。大企業のようにクレーム対応部署があるところはいいが、中小企業では、クレーム対応をさせられる社員はやる気を失ってしまう。

逆に、お客から喜びの声を積極的に集めると、どうなるか？

もちろんクレームも入ってくるが、クレームの数に比較して、感謝の声は数倍多く入ってくる。例えば、感謝の声が二〇あるとすれば、そのうちひとつ二つがクレームという具合だ。すると、社員は、クレームに対して、自信を持って対応できる。「これだけ満足の声があるんだから、このクレームは解決可能だわ」と建設的に取り組めるようになるのだ。

それでは、お客様の喜びの声を聞くにはどうしたらいいんだろうか。

その聞き方には、ポイントがある。お客様の声記入シートを作り、その冒頭に次のような依頼文を書く。

お客様の声をお聞かせください！

あなた様の喜びの声を聞くことほど、私たちの仕事に情熱とやりがいを与えてくれるものはありません。いいこと・悪いこと、どんなことでも結構です。是非、あなた様の声をお聞かせください。

このように社員が、熱っぽい依頼をすると、お客は熱っぽい反応を返してくれる。これを私は、感情の作用・反作用の法則™と呼んでいる。この作用と反作用で、会社とお客との間で、スムーズなコミュニケーションが起こり始める。

まず社員の間で、「あのお客さん、こんなことを言っていた」と話題が起こりはじめる。「顧客第一主義」を方針としながら、お題目で終わっている会社が多いが、お題目を掲げるよりは、お客の喜びの声を集めて、お客について社内で話すきっかけを作ったほうが、よほど顧客主義に近づく。

一方、お客は、その喜びを文章にまとめることにより、自分の考えが明瞭になる。一度文章でまとめると話しやすくなるというのは、あなたにもご経験のあることだろう。すると、まわりに伝えることが簡単になる。つまりお客様の声は、口コミをしてもらうために、お客に自主トレーニングをやってもらっているようなものだ。

コミュニケーションを成り立たせるためには、お客と会社との間で、情報の流れを作らなければならない。呼吸と同じように、情報は出せば、入ってくる。また入ってきた情報は、出さなければならない。このように情報をお客と会社の間でスムーズに流れるようにするのが、話題にされるための大前提なのである。

口コミの脱・常識　その❺

口コミは、最高の宣伝媒体である

口コミは万能薬と思われている。

確かにどんな会社でも、紹介で大きな商談が決まったり、チラシも撒いていないのに、遠方からお客が来ることがある。すると、「口コミは凄い」「口コミは、最高の宣伝だ」という話になる。しかし、このような例があるからといって、口コミが、どんな業界でも、最高の宣伝媒体であるとは限らない。

重要なのは、その口コミが、ただ単に幸運なケースなのか、それとも、しくみとして再現できるケースなのか、という点である。業界ごとに口コミの効果には、温度差があって当たり前だ。それを自覚しないことには、口コミを自社で応用できない。

それでは、口コミが起こりやすい業界と、起こりにくい業界は、どのように判断できるだろう？　そして、起こりにくい業界で、口コミを起こすには、どうしたらいいのだろうか？

口コミが起こりやすい業界を判別する二つの軸

まずは、次ページのチャートで、あなたが、どこに位置付けられるかを調べて欲しい。これは、口コミを起こす上で、あなたの業界が、どこに位置付けられているか、客観的に把握するチャートのひとつである。

縦軸の、「誰とでも話題にできるか？」というのは、あなたの会社が、初対面の人と話題にしやすい商品を販売しているかどうかを判断する。例えば、映画は、誰とでも話題に

口コミ・ポジショニング分析法™

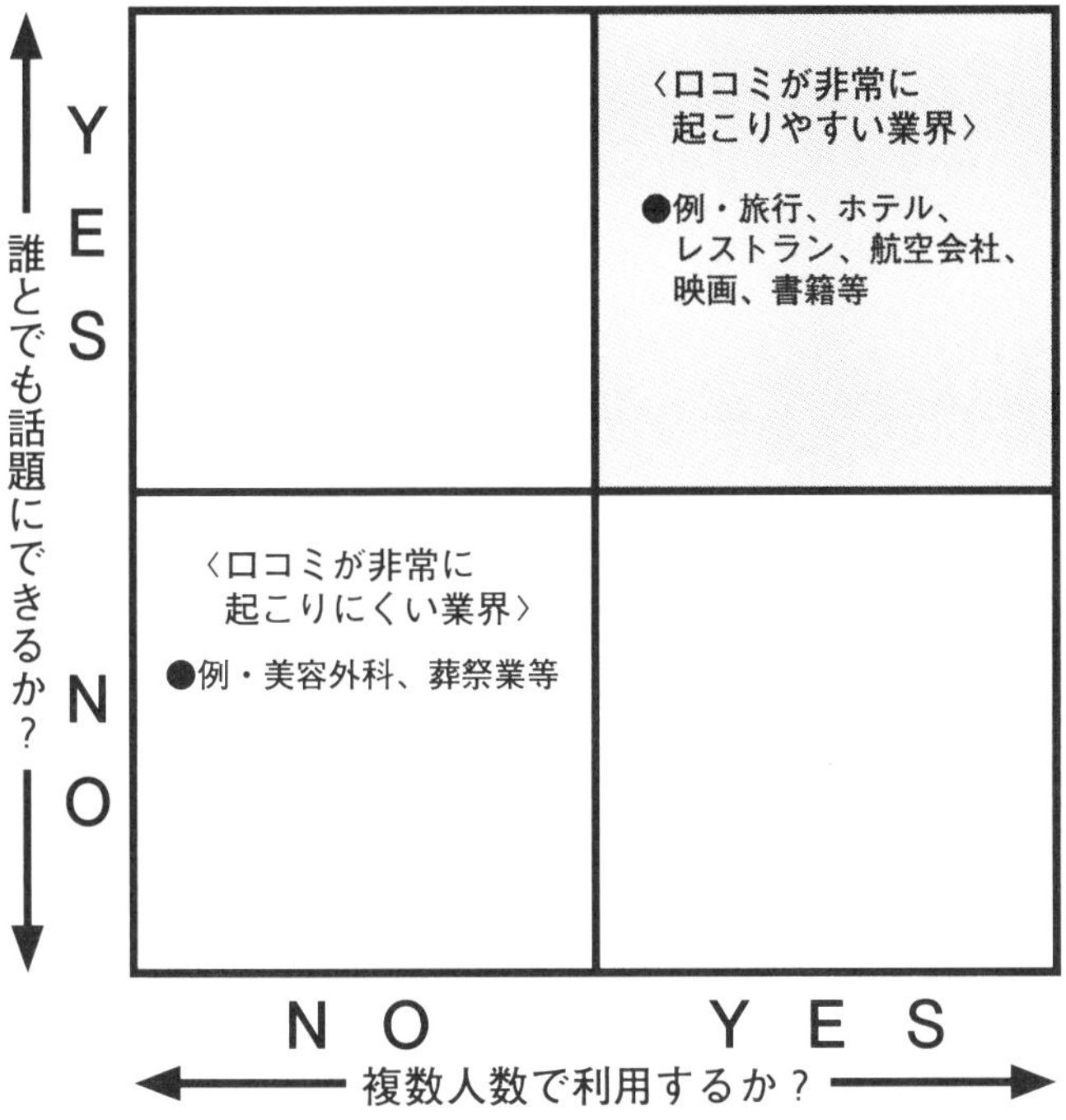

なりやすい。それに対して、電子スイッチというのは、専門家としか話ができない。

横軸の「複数人数で利用するか?」というのは、お客が一人で利用する商品なのか、それとも複数人数で利用する商品なのか、という質問だ。例えば、旅行は一人で行くより、多人数で行くだろう。

このように二つの軸により、様々な業界を位置付けてみると、口コミが起こりやすい業界と口コミが起こりにくい業界を把握できる。口コミが起こりやすい業界というのは、「誰とでも話題にできる商品」を取り扱っており、そしてその話題となった商品が、「複数人数で利用されるもの」である。

例えば、レストランは、「あそこはおいしかったよ」と、誰とでも話題にできる。そして、一度、「良かった」となると、今度は、友達を誘いたくなる。つまり、その楽しい体験を共有するために、お客がお客を連れてくる。このように口コミが集客上、大きな役割を果たしている。

実際に、ある急成長している居酒屋は、オープン時に、支払った金額をそのまま全額返金するクーポン券を差し上げている。すると、オープン時には、ただでさえお客が集まるのに加え、実質的に無料で飲食できるわけだから、黒山の人だかりになる。その際、お客をがっかりさせないことを徹底すれば、そのクーポンを利用するために、お客がお客を呼ぶという善循環が始まる。その結果、後には、ほとんど広告宣伝をすることはない。

チャートの右上半分に位置付けられる業界は、本質的に、口コミが非常に伝わりやすい業界である。旅行、ホテル、航空会社、映画、書籍等のエンターテインメント関連が多い。

このような業界では、口コミが重要であり、またお客をリピートさせることが命綱であるため、多くの工夫を凝らしている。

そこで、この業界では当たり前の集客の仕組みでも、他業界に応用した場合、原子爆弾並みの威力を発揮することが多い。

口コミになりにくい業界は、どう対処すればいいのか？

「あらら、うちの業界は、口コミになりにくいんだ。じゃあ、もうこの本を読んでも意味ないな」

チャートの左下半分に位置付けられた業界の方は、そう思われたかもしれない。しかし、本来口コミが伝わりにくい業界でどうすれば口コミが伝わるようになるのか、についてのヒントを得るためのチャートであるわけだから、ちょっと辛抱して欲しい。

口コミになりにくい業界の代表例は、美容外科だろう。誰だって、「私、脂肪吸引したんだけどさ、あそこの形成外科はいいわよ」「豊胸手術をするんだけど、あなたも一緒にどう?」とは言いにくい。

しかし、あきらめるのは早い。チャートで考えてみよう。

確かに、美容外科全体で考えると、「話題にはなりにくい」。しかも「複数人数で体験する」ものでもない。だから現在は、チャートの左下に位置付けられている。この位置から、口コミにされやすい右上の位置に移動するにはどうすればいいか?

まず「誰とでも話題にできる」という軸から、上に移動できるか、考えよう。

美容外科の提供しているサービスのなかで、話題にできるものはあるだろうか。そう考えると、レーザー脱毛が上がってくる。豊胸や脂肪吸引に比べて、脱毛は、女性の間では話題に出ても抵抗は少ないだろう。

次に「複数人数で体験するか」という軸を、右に移動できるか、考える。

レーザー脱毛は、一般的には、ひとりで体験するものである。しかし複数人数で申し込んだ場合に、割引率が高くなるという販促手段を使えば、何人か友人が集まって申し込む

美容外科における口コミ利用
（工夫前vs工夫後）

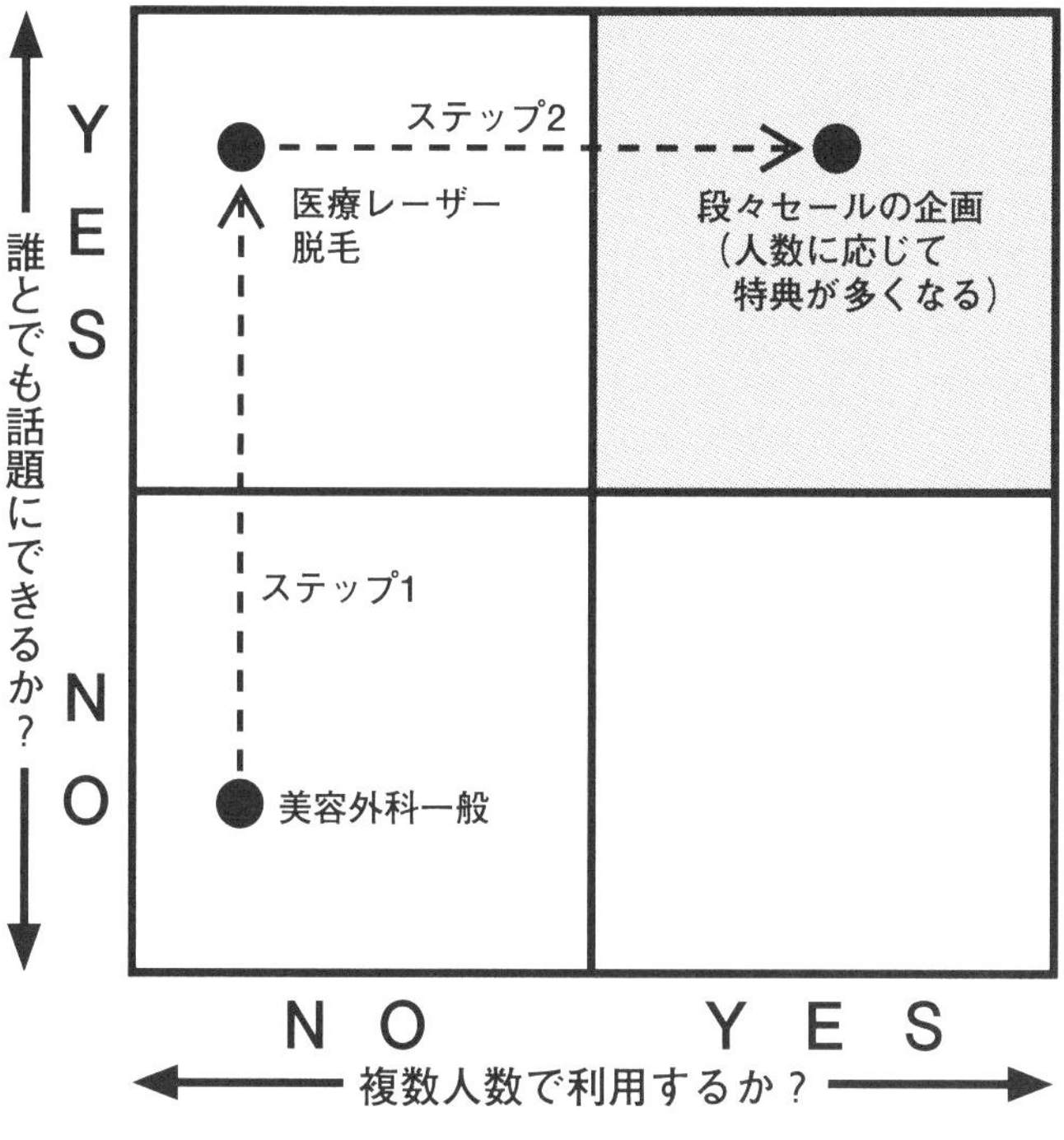

可能性が出てくる。

以上の作業で、脱毛については、口コミが広がりやすい右上のボックスに位置付けられることになった。このチャートは、常に問題が解決できるわけではないが、ヒントを得るための枠組みを与えてくれるのである。

話題にしたくない業界でも、楽しくすればしゃべり出す

美容外科と同様、一般的には、お葬式についても話題にはしたくない。「うちの葬式は、あそこの会社に任せたら、親切で、しかも安くできたのよぉ」とか「お棺は、上と並があったんだけど、別に贅沢してもしょうがないから、うちの旦那は並にしたのよ」という話題は、日常茶飯事に行われるわけじゃない（しかし、実際に葬式を挙げる際になると、このような話題は、頻繁に交わされることになるが……）。

これをチャートで位置付けてみると、どうなるだろうか。

まずは「誰とでも話題にはしたくない」わけだから、縦軸は、下のほうに位置付けられることになる。また複数人数が一度に、「私も、私も、お葬式をやりたい」という購買決

定をするわけでもない。そこで、口コミが起こりにくい業界であると理解できる。

それでは、このような業界でも、口コミは起こせるのだろうか？

お葬式は、普段は、話題にしたくない。ところが、私個人の体験でいえば、お葬式の話で、非常に盛り上がったことがある。

ある葬儀会社から聞いた裏話である。

遺体を焼くときには、上・中・下と三つの価格帯が用意してある。高いほうは、棺を入れる門を少し豪華にしてあるだけで、焼く場所自体は、実際には同じ釜。三つのコースを設けておくと、必ず高いほうを選ぶ客が出てくるから、平均単価を高くするために、三つの価格帯を設ける。

葬儀社が、「どれにされますか?」と聞くと、喪主は、大抵、次のように言うそうだ。

「皆さん、どの辺に、されるんでしょうか?」

そこで、

「そうですね、まぁ、この辺を選ばれますね」

と高いコースか、中ぐらいコースをお勧めする。すると、ほとんどの人が、まん中の価格帯を選ぶ。

しかし、それでも一番安いコースを選ぶ人がいた場合には、葬儀会社の担当者は、じっと黙って……

「本当に、これでよろしいですか？」と聞く。

すると、ほとんどの喪主が「あぁ、やっぱり、こっちにしようかなぁ」と高いほうを選択するそうである。

それでも、「いや、これでいいです」と安いほうを選んだら、神妙な顔をして、ぼそりと答える。

「成仏されませんよ」

どうですか？　あなたはこの裏話を、酒の席での話題にしたくならなかっただろうか？

このように普段は話したくないトピックでも、誰もが一度はお世話になることだから、状況設定によっては、急に話題になるのである。

通常は、お葬式は話題になりにくい。そのため、お葬式を挙げる立場にまわると、信頼ある情報をほとんど入手することができないという悩みがある。

そこで、「お葬式勉強会」を開くと、マスコミにも取り上げられたり、話題になること

葬祭業における口コミ利用
（工夫前 vs 工夫後）

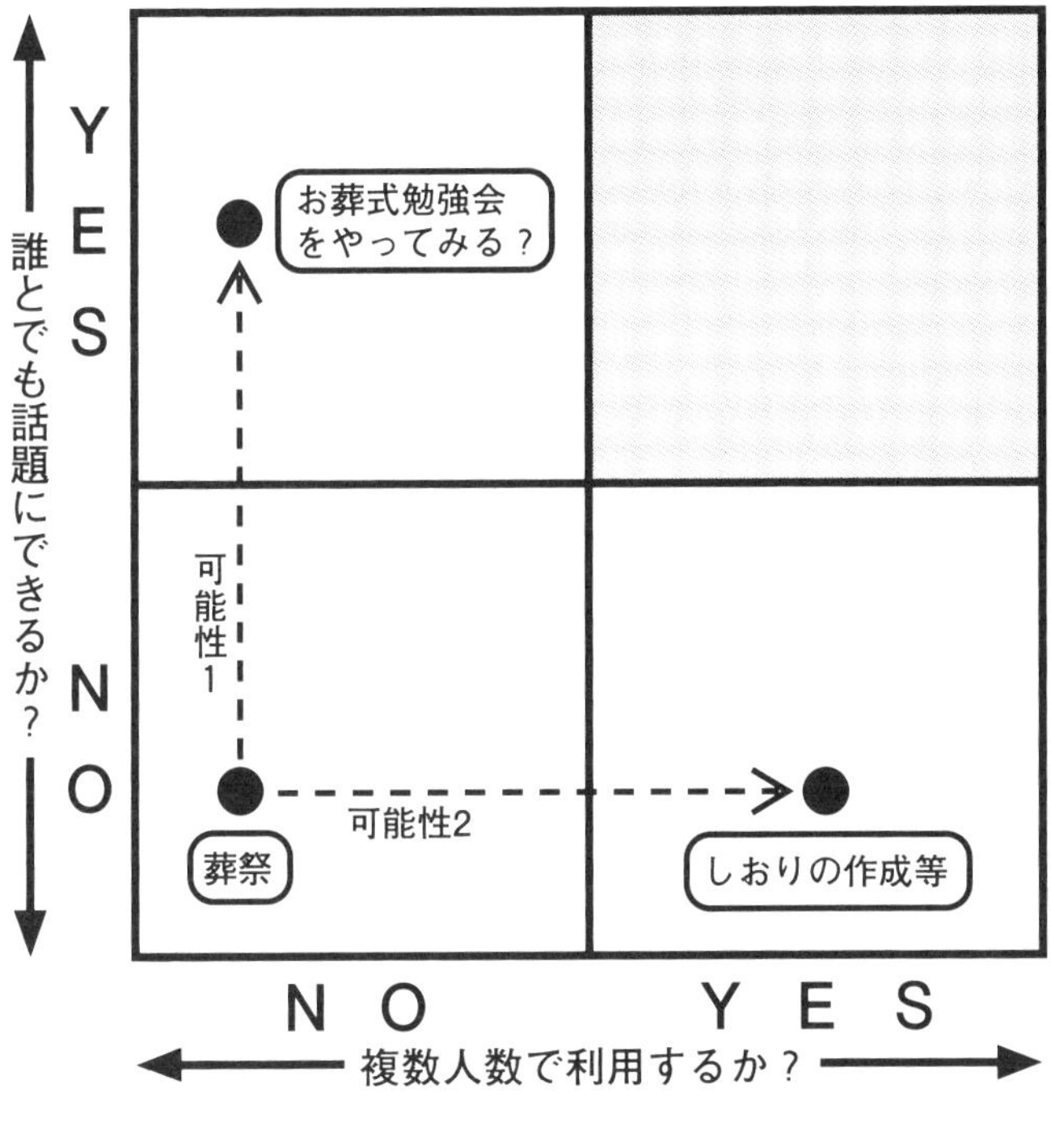

が多い。

つまり、葬式自体は口コミには乗せにくいが、葬式勉強会というイベントを口コミに乗せることは可能である、ということだ。

次に、「複数人数で体験するか」という軸について、もう少し深く考えてみよう。

確かに、一度に、何人も死ぬわけじゃないから、複数人数が、同時にお葬式を決定することはできない。

しかしながら、お葬式は、大勢の方が参列する機会である。参列者は、喪主と同年代であることが多く、次に逝きそうな家族を抱えている可能性が高い。その場合、「うちのヤツが逝きそうなんだけど、どこの葬儀社がいいと思う?」と積極的には聞けない。しかし情報収集はしているだろう。

とすれば、参列者に対して、自分の葬儀社のいい点を、さりげなく認知させる方法が工夫できよう。例えば、故人について書かれたしおりを作成する。参列者は、故人を偲ぶため、必ずそのしおりに目をとおす。その中で、これから喪主になる人が必要とする情報をそれとなく提供する。「○○葬祭では、知らないと恥ずかしい○○地域の葬式習慣について、二四時間録音テープでご案内しております。電話××××―××××」という具合である。

話題にする対象と、話題になるタイミングを特定する

「うちの商品は、どうしても話題になりそうもないのだが、どうしたらいいのだろう？」

そう疑問に思ったあなたでも、安心してほしい。まだ希望がある。

あきらめる前に、次の二つのことを考えてみて欲しい。ひとつは、話題にする対象を特定することである。

例えば、漬物石を話題にする人は、あまり多くないだろう。しかし仮に、こだわりの手作り漬物を作る団体があったとしよう。

すると、「この漬物石を使うと、本当に、おいしく漬けられるのよ」と話題になる。このように一般的には話題にならないようなものであっても、対象を限定すれば、口コミになりやすい。

もうひとつは、話題になるタイミングを特定することである。

普段は話題にされなくても、ある時期、突発的に話題にされる商品がある。例えば、学

話題になる対象とタイミングを特定すればポジショニングを移動できる

対象を狭くすると…

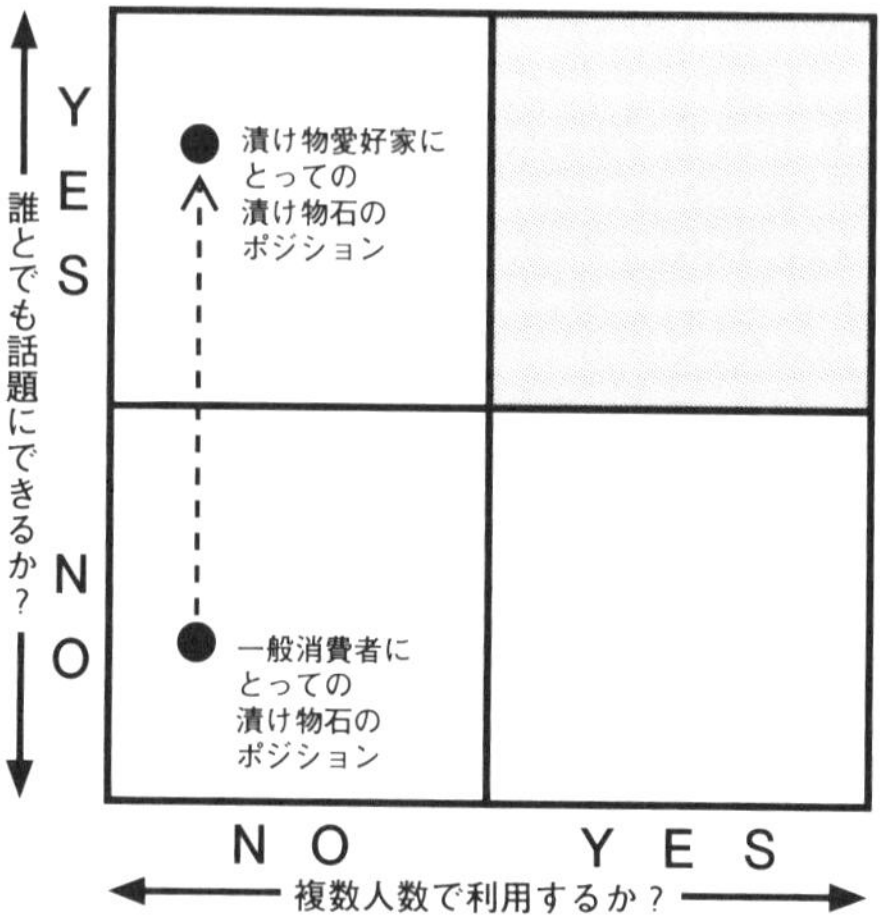

タイミングを特定すると…

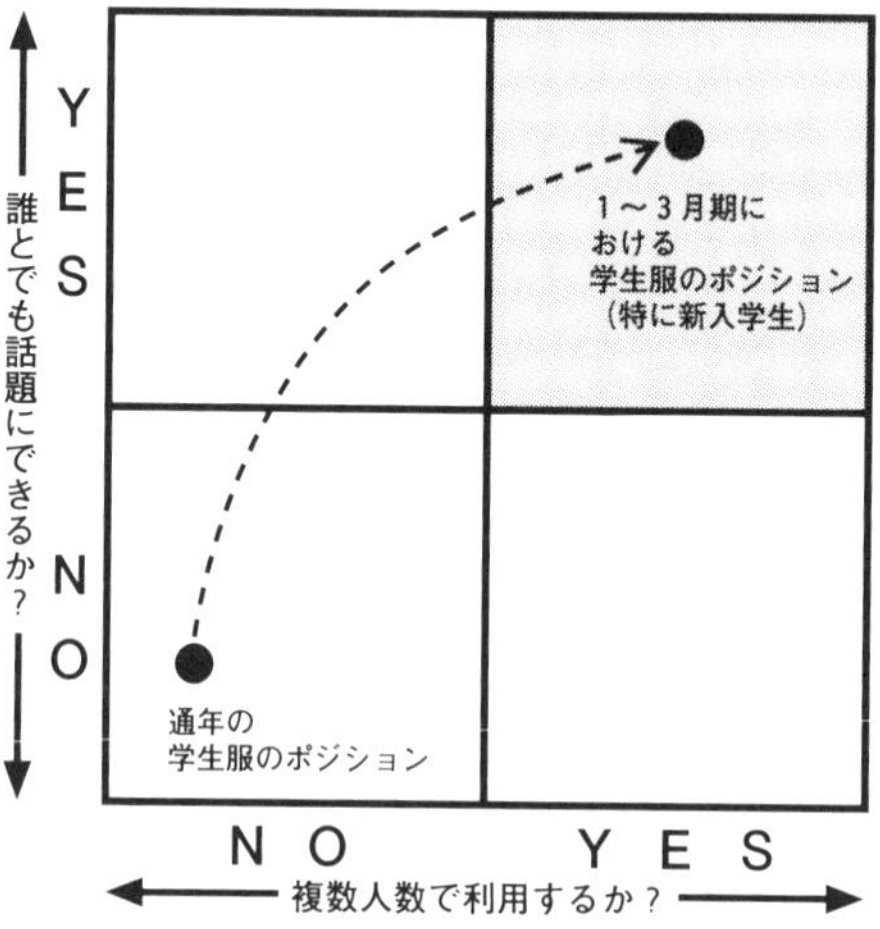

生服、五月人形、七五三、花粉症を改善する健康食品等の、季節商品だ。このような商品は、特定のタイミングで話題にされるので、このタイミングを狙って、イベントを開催したり、共同購入を斡旋するなどの手段を考えることができる。

以上のチャートを使ったエクササイズは、「こうすれば、口コミを一〇〇％コントロールできる」ということを目的としたものではない。このポジショニング・チャートは、口コミを二〇％コントロールするヒントを得るための、頭の使い方を教えてくれるものなのである。

このチャート上で、自分の置かれた状況をできるだけ右上に持っていくようにする。右上に持っていくためには、今まで説明したように、話題にされるようなトピックを考えてみたり、対象やタイミングを明確化する必要がある。

このようにひとつの状況を、多面的にみることによって、今までは考えつかなかったアイディアが浮かんでくる。

いまの時点で、このポジショニング・チャートを使いこなせる必要はない。ヒントを得るためのツールは、これから多く出てくるので、まずは自社の位置付けを客観的に把握し、

「こんなものかなぁ」と自社の課題を感じていただければ十分だ。

社長と社員の反省会

「口コミが強力っていうのは分かっていたけど、それじゃ、うちの会社は何をやってきたのかと考えたら、何にもやっていなかったな」

「確かに、お客に喜ばれるように、一生懸命やってきましたよ。でも社長、それだけじゃ、口コミが起こらないのは、考えたら当たり前でしたよ」

「そうだな、うちの商品と同じような商品を販売している会社は何社もあるわけだしな。そもそも、うちの会社は、自分の商品について二四時間考えているけど、お客は一分も考えていない。結局、どうでもいい存在。どうでもいいことを話題にすること自体、考えられないな」

「にもかかわらず、一生懸命やっていれば、お客がいつかは理解してくれると思っていました」

「いままで汗水たらして働いていると思ったけど、本当は、脳みそに汗水をかくべきだったんだ。しかし、口コミが起こらない理由はわかってきたけど、口コミを起こすためには、どうしたらいいんだ？」

「口コミという言葉を使うと分からなくなりますけど、結局は、お客さんにしゃべってもらうことでしょう。だからお客さんがしゃべりたくならなければならないですよ」

「そりゃ、そうだ。だけど、俺のところは、普通の商品なんだから、とてもしゃべりたくなるような商品じゃないよな。それじゃ、こんな商品でも、お客がしゃべりたくなるには、どうしたらいいんだ」

「それには、どんなことならしゃべりたくなるか、というお客の感情（エモーション）が分からないと」

「ああ、そうか。お客がどんな場合にしゃべりたくなるか、という感情から逆算していけば、口コミを伝染させやすい話題を提供できるということか？」

「しゃべりたくなる感情には、いくつかのポイントがあるみたいです。その感情の引き金を引けば、お客はしゃべりたくなる……」

「それじゃ、しゃべりたくなる感情って何なんだ？」

第3章

お客がしゃべりたくなる会社、無視する会社

口コミは、とらえどころのないコンセプトだ。

口コミを広げるにはどうしたらいいか？　そう質問したとたんに、答えが出なくなる。しかし、よくよく考えてみると、その行為自体は、決して難しいことではない。要は、あなたの会社のことを、お客がしゃべってくれればいいのだ。喜んで話題にしてくれればいいのである。

あなたなら、どんなときに、しゃべらずにはいられないか？

家を買ったとき？　欲しかった車を買ったとき？　宝くじに当たったとき？　あこがれていた女性とデートしたとき？　誰もが知らない情報を知っているとき？　友達が誰かと付き合っていることを、自分だけが知っているとき？

こんなときには、黙っていることがガマンできない。誰かれかまわずしゃべりたい。

このような抑えきれない欲求から逆算することによって、お客がしゃべり出す条件が分かる。

この章では、話したいという衝動の引き金を引く、七つの感情の要素を紹介しよう。

しゃべりたくなる感情の引き金❶

不幸、災難、そしてスキャンダル

私のクライアントで、昨年来、災難続きの会社があった。「ダイユーゴルフ」（福島県・いわき市）という会社で、代表社員はトムという。もちろんトムはあだ名だ。俳優トム・クルーズに似たいい男なので、私が勝手にあだ名を付けた。

ある日、彼からファックスが届いた。「昨年来から大変しんどい」とのこと。そんな兆候はなかったので、何があったのかと、早速、電話をかけた。

話を聞くと、確かに悲惨だ。

昨年末に、基幹店が火事で全焼してしまった。在庫五〇〇〇万円がパーである。保険をかけておいたが、出火原因が不明とかなんとかいう理由で、一年経っても保険がおりない。

これだけでも、「うわっ」と思うぐらいの災難であるが、さらに今年になって、出店していたゴルフ練習場が、不況のため、いきなり閉鎖。二ヶ月以内に退去しろ、と言われた。次の場所が決まらないうちは、とてもじゃないけど、動こうにも動けない。

結局、プレハブで臨時店舗を構えたが、売上は通常時の四割減。

「いや〜、保険金は出ないし、なかなかツライです」とのことだった。

聞いているだけでげんなりするような話だ。しかしトムは前向きだった。

「とにかく既存客さん向けにダイレクトメールを出して、なんとか売上を上げようと思ってんですけど、どんなセールを開催したらいいのか」と考えている。

さぁ、あなただったら、どうやってこの店を救うだろうか？


「どのぐらい燃えたんですか？」

「全部です」

「もしかして地元ではかなり話題になったんじゃないですか？」

「ええ、新聞に載るぐらい大きな火事でしたよ」

「燃えた感じは、どんな？」

「真っ黒です。商品が全部灰になりました」

「それじゃ社長、その真っ黒になったお店の写真はありますか？　できれば、その灰のなかで、社長が眉間にしわを寄せて、頭を抱えている写真があると最高なんですけど……」

話題になるという観点から見れば、火事とか、事故ほど人の関心を引くものはない。

高速道路で事故があった場合に、なぜ渋滞が起こるか？　そもそも事故車は、すでに道路の傍らによけられている。だから物理上、通行にはなんら影響がないはずだ。しかし、渋滞が起こっている場所をよく観察すると、通行する車は、必ず事故現場で、スローダウンしている。つまり、どんな酷い事故が起こったのか、わざわざスローダウンして見ているわけである。

このように理由はわからないが、事故は、圧倒的に人を惹きつける。そして黙っていることにガマンできない。「今日、事故を見た」と人に伝えないと、心が落ち着かない。とすれば、この火災があったことは、地域住民の多くは知っているだろう。こういう機会は、セールスには、もってこいなのだ。なぜなら、安くなる理由が、極めて明確になるからである。

そこで、開催したのが、泣きっ面に蜂セール。趣旨は、こんな感じだ。


ダイユーゴルフは、火災、そしてゴルフ場店の閉鎖と、昨年より、泣きっ面に蜂の状況が続いている。その結果、現在、プレハブ店舗で営業しているが、在庫スペースが限られ

ているので、赤字覚悟のセールを開催することになった。

このセールを、わずかな枚数のチラシで告知した。すると地元の新聞社が目に留め、次の小さな記事を掲載した。

移転特別売り
つくしセール
ダイユーゴルフ神谷店

いわき市平下神谷字大神一一五、栄晃ゴルフ練習場二階のゴルフショップ、ダイユーゴルフ神谷店（本店・内郷御厩町）は一階にも特設会場を設け、十月末まで、「移転特別売りつくしセール」を開催している。

同店の移転は同練習場の閉鎖に伴うもので、移転先は未定。オープン以来七年、本店もふくめ、マルマンの高級クラブ売上高国内第二位、ゴルフクラブ販売技術者資格を有するスタッフは全員シングルプレーヤーと、販売実績と信頼性で親しまれてきた。

セールではウエアが通常価格の半額や四〇％引きをはじめ、シューズの二千、三千、五千円均一コーナーが設けられている。そのほか、グローブが百円、アイアンセット（中古）九十九円、同（新品）五千九百八十円、ドライバー九千八百円など、目玉商品を豊富に取りそろえている。コンペの景品などにも最適。

営業時間は午前十一時～午後九時までとなっている。無休。

セール開催中のダイユーゴルフ神谷店

「夕刊いわき民報」より

翌日には、一体どこから湧いてきたかと思われるぐらいのお客が殺到した。新規客も大勢来店。チラシはあまり数を出したわけでもない。「どう考えても、あの新聞記事が口コミとなって、お客がお客を呼んだようです」とトムが言う。

結局、セールスの結果としては、通常時の七倍の集客、四倍の売上となった。同時期、ライバル店舗は、チラシを折り込んだ店にちらほら客がいた程度。後は、閑古鳥が鳴いていた。

考えてみれば、これと似たケースは多い。日本橋の東急百貨店が閉店になった際には、たった一週間で、年間分の売上を上げている。同様に、閉店となったそごう有楽町店。これも閉店となるや、お客がごった返し、延長セールを繰り返す始末。

このように「もう後がない」という安値にできる明確な理由があれば、お客が集まるわけである。ここで重要なのは、明確な理由とはなにか、ということである。歳末セール、決算セール、というお決まりのセールはあるだろう。しかし、歳末だから安い、決算だから安いというのは、全くインパクトはなくなっている。なぜならば、理由はあるが、真実味（＝リアリティ）がないからだ。

災害があって、プレハブ店舗のため、在庫過剰状態、しかも間接費が大幅に下がっているから安売りができる。この理由には、真実味がある。このように真実味があるかどうか、というのが話題になるためのポイントである。

「しかし、うちの会社は、別に火災にあったわけでも、閉店するわけでもないからなぁ」と言われるかもしれない。

そこで凡人で終わる人と成功する人が分かれる。

不幸というのは、そこにあるものではない。演出するものなのである。不幸の真っただ中にいる人は、決して自分が不幸だと思っていない。とにかく毎日を乗り切るために、精一杯なのである。また不幸の中にも、楽しいことはある。だから本人は、日常生活の延長上にあるのだ。つまり、不幸だということを人に伝えるためには、自分が不幸であるということを演出するところにポイントがあるわけだ。

トムの場合も、火災にあったという情報を自ら発信しなければ、お客は、地元の大火災とダイユーゴルフという店とを関連付けることができなかった。さらに、「泣きっ面に蜂セール」という名前を付けなければ、お客は「大変だったね」と共感できなかったわけだ。

災難は人の注目を集める。そして災難は、自分で演出するものである。

しゃべりたくなる感情の引き金❷

崖っぷちから、逆転ホームラン！

助さん、角さん、そして、うっかり八兵衛が、悪党にやられそうだ。

悪党の日本刀が振り下ろされた！

その瞬間。シューっと風車が飛んできて、刀がそれた！

風車の弥七登場である。

あなたもご存じの、テレビドラマ「水戸黄門」のストーリーである。毎回、必ずこの場面がある。

これと同じパターンは、テレビドラマに随所に見られる。ウルトラマンも仮面ライダーも物語の展開は、極めて似通っている。基本的には、「大きな目標」――「試練」――「挫折」――「目標の達成」――そして「ハッピーエンド」、という展開になる。試練や挫折のない物語はない。

「日本人は、こういう展開に弱いのよねぇ～」と多くの人は言うが、実は、この展開に弱いのは日本人だけではない。人類共通である。特に、全世界をマーケットにしているハリウッド映画のストーリーは、ピンチでピンチで、またピンチ。それを乗り越えたら、またピンチというのが定番になっている。この物語の展開が、人を惹きつける。

この展開が、現実になったとき、人は感動する。誰かにしゃべらざるをえない。

野球でも、逆転満塁ホームランの場合には、「いや〜、昨日のゲームは凄かったよね」と熱っぽく話す。長野オリンピックのジャンプ競技でも、平均的にいい成績をとった船木よりも話題になるのは、ギリギリまで不調で、「ダメだこりゃ」と思っていたところで、見事などんでん返しを決めた原田だった。これが涙、涙の感動を生む。そして記憶に粘りつく。

考えてみれば、ソニーやホンダがピカピカのブランドになっているのも、物語があるからである。ソニーがトリニトロンブラウン管を開発したときの苦労話。不可能な目標を打ち出し、失敗に次ぐ失敗、そして最後の大成功。創業者の井深大氏は、開発チームを目の前にして、涙を浮かべていたという。ホンダは、通産省からのバッシングを受けたにも関わらず、自動車の開発に情熱をかけ、そして「世界のホンダ」になった。ピカピカのブランドを持っている企業には、このような物語が——神話といってもいいかもしれないが

――社員に語り継がれている。そして、その神話が、会社の求心力になっているのである。

物語は、不信感を取り除く

人は、物語を覚えやすい。そして物語は、人に伝えやすい。

このような特徴を持つために、物語はビジネスにおいて極めて強力な武器である。しかし、ほとんどの会社は、その力の使い方を知らないために、大変な損をしている。

この物語を使うというテクニックは、特に、ブランドがない会社が信用力を高めるうえで、絶大の効力を発揮する。何を隠そう、私が、独立したときに、使わせていただいた。

当時の私の問題は、コンサルタントとしての実績がほぼゼロに等しかった。そもそもコンサルタントという職業は、胡散くさい。「俺の業界のことを知らないヤツに何ができる」という否定的な見られ方から、商談に入るわけである。これは正直、かなり不快な経験だ。

私は、商談に入る前に信頼してもらう方法を考えた。そして見込客に会う前に、小冊子を配った。『小予算で優良顧客が集まる画期的ノウハウ』という小冊子だ。

この小冊子の目的は、タイトルとは別なところにあった。目的は、会う前に――もしくは一度も会わずに――私のことを、信頼してもらうことである。その鍵となった部分は、次の文章だ。

一一月の寒い日、本業のサラリーマンとしての勤務終了後、コピーしたチラシを配りにいった。それは雪が降りそうな、シンシンと冷え込む夜だった。なぜ夜を選んだかというと、人目を避けるためだ。犬がいないのを確かめながら、郵便箱にチラシを入れていた。手袋をすると効率が悪くなるので、手袋ははずした。寒さでだんだん指の感覚がなくなった。またひざも冷え切って、ガクガクしてきた。結局、チラシを撒き終わったのは夜一二時を回ったころだった。

そして電話を待った。翌日は電話がなかった。その次の日も電話はなかった。その電話を待つ時間は、病院でお産を待つ時間よりも長い時間だ。結局いたずら電話があっただけで、一件も問い合わせはなかった。チラシのほかに、何回かめげずに広告を出したが、すべて失敗した。資金もつきて、私のはじめの試みは失敗した。

右の物語は、コンサルタントとしての実力には全く関係のないことだ。しかし、これを読んで、多くの人が、一目も会うことなく私を信用するのである。そして、「いや〜、感動しました」と言ってくれるわけである。私は、口では「ありがとうございます」と言うが、「そりゃそうだよ、感動するように書いたんだから……」と心では思っている。それだけ、感情の引き金を引くというのは、ワンパターンなわけである。

「うちの会社には、そういう語るに値する物語っていうのは、ないんですけど……」といわれるかもしれない。しかし、物語を作るのは、決して難しいことじゃない。そして、それをできるようにするために、あなたはこの本を読んでいるのです。

良い商品を開発するには、必ず苦労話がある。その苦労話を語ればいいのである。思い出してほしい。自分の商品を探し当てるためには、どんな苦労をしたか？　なぜ、その商品を販売しようと思ったのか？　販売にあたっては、どんな障害があったのか？その障害を乗り越えるために、どんな出会いがあったのか？

必ずあなたにも苦労はあったはずだ。

商品のスペック・仕様には、人は感動しない（オタク以外はね）。しかし、その開発の苦労話には感動する。しかしその物語は、語り始める人がいて、初めて生まれる。淡々と流れる事実を、風車の弥七の登場のように、ピンチを経て、目的を達成するというドラマに作り上げられるかどうか。

その物語が作られたとき、人々の記憶に残り、話題に上りやすい会社となる。そして、社内では、その物語が語り継がれることで、会社の神話化が始まるのである。

しゃべりたくなる感情の引き金❸

十字軍に駆り立てる

日経新聞を読んでいたら、ダイエー創業者・中内㓛氏が執筆していた「私の履歴書」に目が止まった。そのなかに、中内氏ご自身が書いたというチラシの写真が掲載されていた。「見るは大丸、買うはダイエー　百貨店は歌舞伎座。ゆっくり商品を見る場所。ダイエーはストリップ劇場。掛け値なしの裸の値段。同じ品なら必ず安い」というキャッチフレーズが掲げられたこのチラシは当時、大反響を起こしたという。

今、読んでみても、中内氏の情熱と商人魂を感じると思う。これだけ過激なことを、堂々と宣伝できる経営者は、現在いるだろうか？

以前は、このように気概に満ちた会社でも、大企業化した後は、サラリーマン体質化しているから、くだらん広告しかできなくなってしまう。企業イメージをあげることが広告だと勘違いし、売上に貢献しない広告の垂れ流しだ。

しかし、このチラシからは、中内氏の信念が匂ってくる。消費者の感情を揺さぶる。一言一言が売上をあげる。これこそ巨大スーパーを作った起業家の商人魂だと、私は、痛く感激した。

なぜ、このチラシが消費者の心を掴んだのか？

一言でいえば、敵を設定しているからである。これが大衆運動を起こしていくための秘訣だ。

敵を設定すると、まとまりの悪いグループの結束力を強めることができる。小学校のころを思い出して欲しい。嫌われ者がいると、なぜかその周辺のグループのまとまりが良くなる。これと同じメカニズムだ。

中内氏は、インフレを敵に設定し、そしてダイエーは主婦の味方であることを強調する。主婦は、自分たちの敵に立ち向かうものに共感する。そして、その敵に立ち向かうために、ダイエーの店で買い物をする。

このように大衆をアジテートし、消費に結びつける方法は、一部の賢い経営者によってたびたび活用される。

数年前、消費税還元セールが大変な反響を呼んだ。これは消費税五％を還元するという割引率に反応したのではない。根底にあるのは、消費税を引き上げることに対する、消費者の反感がある。消費者は、政府に抗議をするために、イトーヨーカ堂で買い物する。つまり、「あたしは、政府に抗議するためだから、これも買ってもいいわね」と消費欲求を正当化したわけだ。だから普段は買わないような商品も買ってしまうのである。

石原都知事が、銀行に対して外形標準課税を適用したのも同様。高給で、世間から嫌われる銀行に天誅を下すという分かりやすい図式だ。天誅を下された銀行にはあいにくだったが、石原氏自身は、大変な支持を集めている。

さらに最近、石原都知事はディーゼル車を敵に回し、その規制を訴えている。知事は、ディーゼル車の粉塵をボトルに入れて、テレビで、そのボトルを振って見せた。意識的にやっているかは分からないが、強烈なインパクトを一瞬のうちに与えている。

環境保護を主張する政治家は他にもいるだろう。ところがその事実を教科書的に伝えるだけでは、誰も聞く耳を持たない。理屈じゃ、人は動かない。感情を逆なでし、大衆を怒らせることで、初めて変化につながるのだ。

お客の十字軍を組織する

それでは、敵を設定する方法を、一体、どのように口コミに利用できるのだろうか？

実は、魔法のフレーズがある。次の○○を埋めることである。

> ○○からお友達を救ってあげよう！

これが、お客をあなたの味方につける、魔法の表現のひとつだ。○○のところに、あなたのお客の「敵」を挿入する。

例えば、先ほどの石原都知事の例で言えば、「ディーゼル車の毒煙から、子供を救ってあげよう！」というのが、キャンペーンのキャッチフレーズとなる。

同じ趣旨を、「ディーゼル車は、環境を破壊します」と表現することもできる。しかし、これでは事実を伝えるだけで、明確な敵が存在しない。ところが、「毒」「子供」という言葉を使うことによって、倒すべき敵——ディーゼル車——が明確になる。すると必然的に、石原都知事は、支持すべき味方として認識される。

健康食品の販売を行っている、「株式会社そら」→（埼玉県・与野市）は、「塩素の水からお友達を救ってあげよう」という紹介キャンペーンを行っている。この会社は、「サンゴの力」という、水道水をおいしい水に変えるサンゴの粉末を販売している。この場合も、敵は、塩素を含む健康に悪い水、という設定だ。その敵から友達を救うという崇高なる行為が、この紹介キャンペーンに参加することなのだ。

私はこの紹介キャンペーンを「十字軍結成型・紹介キャンペーン」と呼んでいる。

あなたもよく見かける紹介キャンペーンは、「お友達をご紹介キャンペーン」というキャッチフレーズを使っている。その内容は、典型的には、「お友達をご紹介くださったあなたには○○を、お友達には○○を差し上げます」というものだ。分かりやすく言い換えると、「あなたに賄賂を渡すから、友達を売り渡しなさい」ということだ。このキャンペーン法を、「賄賂提供型・紹介キャンペーン」という。

私は、十字軍結成型・紹介キャンペーンをお勧めする。お客の側は、友達を救ってあげ

→「株式会社そら」http://www.soramesse.co.jp

るという、人間本来の優しい気持ちから、紹介する相手を探すことができる。営業する側も、「ぜひ、お友達を紹介してください」と言うよりは、「塩素の水から、ぜひ、お友達を救ってあげてください」と言うほうが頼みやすい。このように双方にとって、無理が少ない方法だからである。

もちろん、十字軍結成型だからといって、景品を差し上げてはいけないというルールはない。景品をつけることは何の問題もない。ただ、同じ景品をつけるにして、景品がもらえることをメインにするのか、お友達を救ってあげることをメインにするのかで、お客の側も、営業する側も大きくモチベーションが変わってくるということだ。

「敵を設定したほうが、お客が味方になってくれるということは分かったけど、うちには、敵はいないしなぁ」と疑問に思われた方。なぜ敵がいないのか、お分かりになるだろうか？

十字軍は、ムスリム教徒という敵がいた。そして、この異教徒からエルサレムを取り戻すという使命があった。

このように、敵とミッション（使命感）は、裏腹の関係にある。

十字軍を結成してお友達を救う

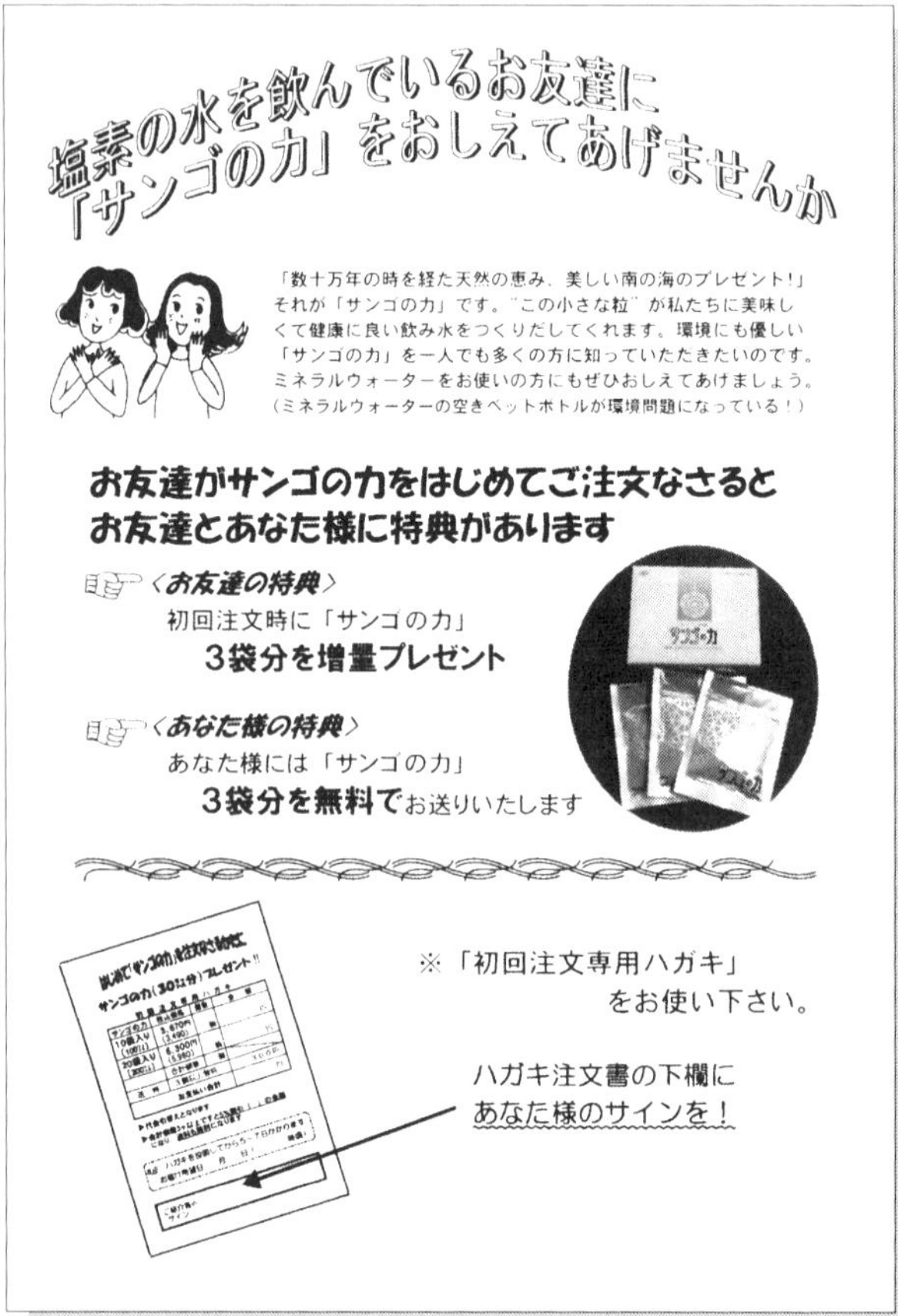

塩素の水を飲んでいるお友達に
「サンゴの力」をおしえてあげませんか
「数十万年の時を経た天然の恵み、美しい南の海のプレゼント!」
それが「サンゴの力」です。"この小さな粒"が私たちに美味しくて健康に良い飲み水をつくりだしてくれます。環境にも優しい「サンゴの力」を一人でも多くの方に知っていただきたいのです。
ミネラルウォーターをお使いの方にもぜひおしえてあげましょう。
(ミネラルウォーターの空きペットボトルが環境問題になっている!)
お友達がサンゴの力をはじめてご注文なさると
お友達とあなた様に特典があります
〈お友達の特典〉
初回注文時に「サンゴの力」
3袋分を増量プレゼント
〈あなた様の特典〉
あなた様には「サンゴの力」
3袋分を無料でお送りいたします
※「初回注文専用ハガキ」
をお使い下さい。
ハガキ注文書の下欄に
あなた様のサインを!

(株)そらのお友達紹介キャンペーン

あなたの会社に敵が見出せないのは、あなたの会社にこの「ミッション」がないからである。

ミッションがない企業は、顔がない。消費者が尊敬しない。口コミにならない。ブランドを築けない。社員が結束しない。当然、儲からない。

つまり、いいことは何もない。

それでは、あなたは、どんな企業ミッションを作ればいいのか？

「社会貢献する企業を作ります」？　「地域に根ざした企業を目指します」？

「お客様に健康と豊かな生活を提供します」？

このような標語は、何も意味がない。これじゃ、永久にお客を、そして社員を味方にできない。敵がいない企業は、ミッションもない。ミッションがない企業は、敵がいない。

使命とは、次の◯◯を埋めることである。

私どもは、◯◯を断固拒否します。

このように戦う姿勢を見せるのである。「私たちの使命は、お客様に健康と豊かさをご提供することです」というのではなく、例えば、次のように表現する。

「私どもは、たとえ利益が出たとしても、現在、そして将来にわたって、お客様の健康を脅かす危険性のある商品を販売することを断固拒否します。生活者の視点で、本当に納得いくものだけを提供し、あなたの家族の健康と豊かさを守ります」

このように悪と戦う姿勢をとることで、他人にもミッションが感じられるようになる。

明確な企業ミッションは、口コミになる。例えば、「THE BODY SHOP」。これは化粧品・生活用品の会社だが、環境破壊を敵にしている。化粧品の容器は徹底的にリサイクルしている。お客がボトルを持ってきた場合には、割引価格で販売する。さらに第三世界で生産できる商品を積極的に開発して、その利益を第三世界に還元する。そして、それが共感を呼んで、広告宣伝をほとんどすることなくお客が集まる。

ほとんどの会社は、創業時は、熱い使命感を持っていた。しかし、生ぬるい好景気が続

→「THE BODY SHOP」http://www.the-body-shop.co.jp

いていたからこそ、忘れてしまっているだけなのだ。

「主婦の店ダイエー」「見るは大丸、買うはダイエー」というダイエーの創業当時コピーは、いまでも古くならない。ほとばしる情熱を感じるだろう。

一体、自分は、どんなミッションを持って商売をしているのか、早速、○○を埋めて欲しい。

しゃべりたくなる感情の引き金❹

私のことを、分かってくれる。

チラシというのは、売り込みである。必要なときしか受け取りたくない。どれを見ても区別できない。見ても面白くない。自慢ばかりで、共感できない。ゴミになる。必要なときに、必要な情報を得るのであれば、インターネットを使ったほうが便利だ。

これがチラシを出しても反応がなくなってしまった原因だ。

ところが、「うちにも入れて」とお客から頼まれるチラシがある。

「楽しい有限会社」→（福島県・いわき市）が経営する回転寿司店・すし八のチラシである。

→「楽しい有限会社」http://www.iwaki.st/susi8

楽しい有限会社という社名自体も大変ユニークだが、チラシも常識外れだ。

一体、どんなチラシなのか？　通常、回転寿司はどんなチラシを配っているだろうか？あなたも思い出せると思う。カラーで、寿司の写真が載っている。そしてその横に、価格が出ているというスタイルだ。「いかに、おいしそうに写真を撮るか。これがポイントです」と多くのチラシ制作会社は言う。

しかし、すし八のチラシは、正直、きたない。寿司の写真もない。ただ社長が書いた、筆書きの寿司のイラストが入っている。

にもかかわらず、キレイなチラシに比べると、売上一・七倍。しかも経費は半分。そしてお客からは、「どうしてうちの地域には入れてくれないの？」と文句が来る。

なぜ、すし八は、こんな業界・非常識のチラシを、配り始めたのか？

すし八は、一昨年までは、チラシを撒いたこともなく、商品力の素晴らしさだけで、毎年成長していた。しかし回転寿司も競争が激化。まわりからの勧めもあって、昨年になって、初めてチラシを配った。カラー四色で、七〇万円をかけたが、大失敗。

「これじゃいかん」と、私の本『あなたの会社が90日で儲かる！』を読んで、知恵を絞ってみた。「お金をかけちゃいけない」というアドバイスに共感し、これだったら俺にもで

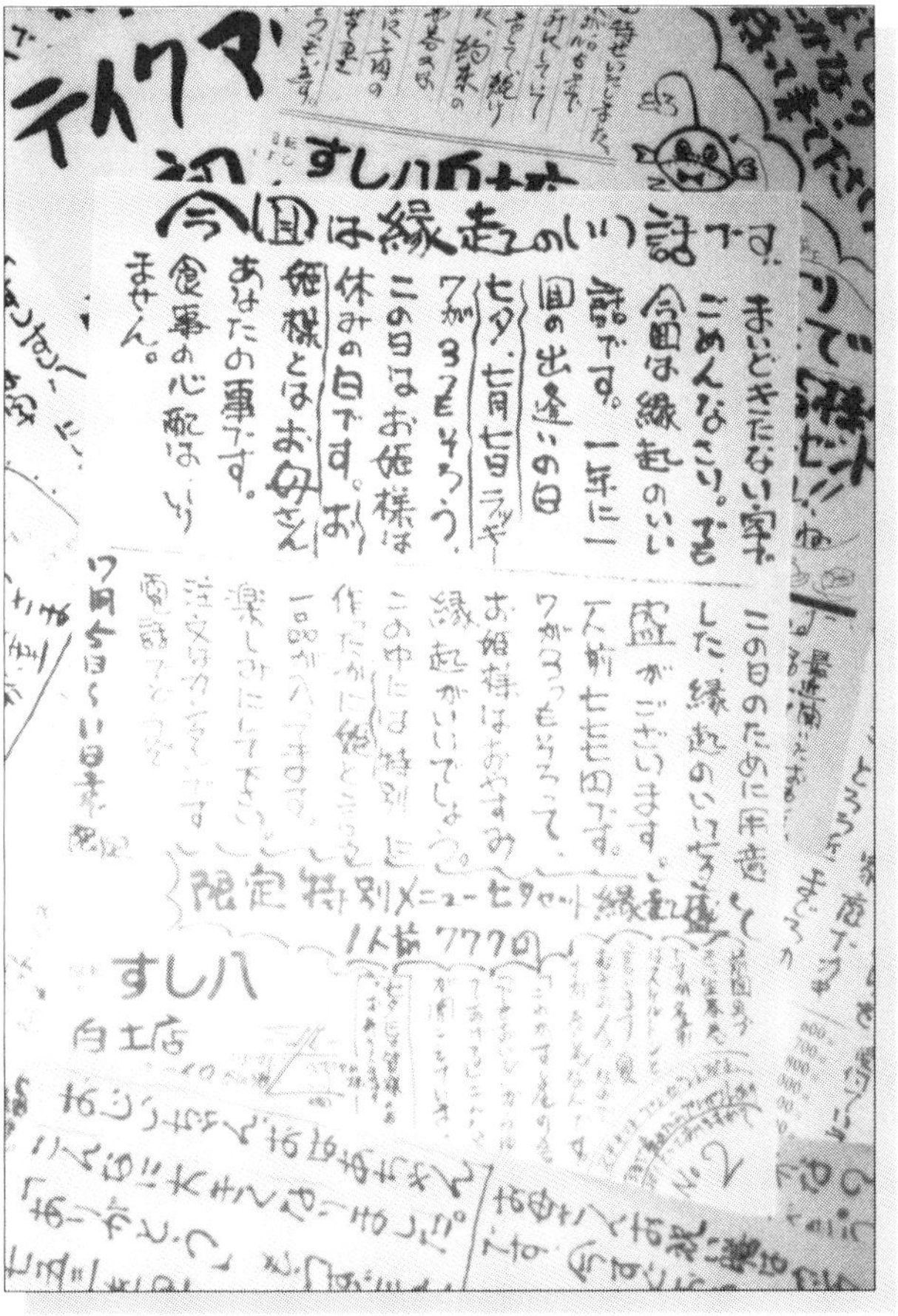

楽しい有限会社の
口コミになる"きたないチラシ"シリーズ

きそうだと、おそるおそるやってみた。これまでのカラーのチラシから、一色のチラシに変えた。寿司の写真は一点もない。文字ばかりのチラシだ。

まわりの経営者からは、「きたないチラシが入っていたぞ」と評判が悪い。初めはうまくいかなかったが、そのうちコツが分かってきた。チラシを入れた日は、確実に、経費以上の売上が上がるようになってきた。

この「きたないチラシシリーズ」は、売り上げを上げるだけではなかった。チラシ自体が、お客から大好評なのである。

「すし八応援団のおばさん」という署名で、見知らぬ人からファックスが入る。いつの間にか応援団が結成されているようだ。「あのチラシは誰が書いているんですか」「チラシの作者に、一度会いたいわ」とお客は、頻繁に尋ねる。店員は「社長が書いているんですよ」と嬉しそうに答える。

このように社内の情熱が、社外に伝染していくと、口コミになっていくのを、肌で感じることができる。お客からの手紙、声かけが圧倒的に増えてくるからである。

表の欲求と、裏の欲求

さて一体、なぜこのチラシが口コミを生んでいったのか？

一一九ページの七夕のチラシを、もう一度、読んでみてほしい。七夕にひっかけて、七七七円のメニューを用意している。楽しい有限会社の出村社長の話によれば、このメニューはあまり人気がなかった。しかし他のメニューは出ているのである。つまり、お客は割引に反応したわけではない。

このチラシがうまくいった理由を一言で表現すると、お客からの共感が得られたのである。チラシのなかで、寿司のことは、あまり触れられていない。語られているのは、お母さんに対するねぎらいの言葉だ。

「今日は特別の日で、お姫様はお休みです。お姫様とは、お母さん、あなたのことです」

この言葉を読んだときに、お母さんは、どのような印象を持つだろう？

「この店は、私のことを分かってくれる」

このように思ったとたん、お客は共感を寄せることになる。

共感したものは、しゃべりたくなる。応援したくなる。自分の考え方にあった本があると、人に紹介したくなるのと同じ心理である。逆に、自分のことを理解しない店には、共感が生まれない。ただ単に、消費するだけだ。口コミにならない。

試してみよう。あなたの会社の広告やパンフレットを、お客の立場で眺めてみよう。

「この会社は、私のことを、分かってくれている」

この感想が、自然に口から洩れるものになっているだろうか？　それとも、自分の商品自慢のオンパレードになっているだろうか？

とにかくお客から共感を得ることが、大事である。言われるまでもなく、当たり前の話だ。だが、自分の会社に応用しようと思うと、どうしていいのか、さっぱり分からない。

そこで、共感を得るための考え方を説明しよう。

共感というのは、表の欲求から起こるのではなく、裏の欲求から起こる。

表の欲求は、建前。裏の欲求は、本音。表の欲求は、目で見て分かるもの。裏の欲求は、想像して分かるもの。表の欲求は、誰でも分かる。裏の欲求は、共感して分かるものである。

分かりやすく説明するために、雑誌の例を挙げよう。

「バイブズ」という売れているバイク雑誌がある。この雑誌の表紙を見ると、いつもミニスカートのきれいなお姉さんが、バイクにまたがっている。さらに毎号、必ず折り込みのページがある。そのページを広げてみると、今度は、表紙の女の子がヌードでバイクにまたがっている。「この雑誌を読むときに、どこからはじめに読む？」と知り合いに聞いてみると、多くの場合、この折り込みページから読んでいるのだ。

もちろん、バイク雑誌の読者は、バイクが本来好きなことには変わりがない。バイクが好きだ、というのは表の欲求である。ところが、実際に、「どの雑誌を買うか」という段階になったとき、表の欲求よりは、裏の欲求に反応してしまうのだ。

これを寿司に当てはめてみると、どうなるか？

「おいしい寿司を食べたい」は、表の欲求。それでは裏の欲求は？

「家事をしたくない」である。しかし、家事をしないことは、罪悪感が伴う。それに共感した上で、「お母さん、あなたはお姫様なんだよ、今日はお休みです」と言われている。一体、お姫様といわれて、喜ばないお母さんがいるだろうか！

この「きたないチラシシリーズ」も、裏の欲求を的確に捉えている。このような深いところで理解をされると、お客は「私のことを、分かってくれる」と共感することになる。

それでは、お客の裏の欲求は、どうすれば分かるのだろうか？

「裏の欲求、裏の欲求……」と、呪文のように唱えていても、答えは出ない。

次の質問に答えてみよう。

「一体、お客は、どんなことに夜も眠れないほど、怒りや不安を感じているか？」

「一体、お客は、どんなことに抑えきれない喜びを感じているか？」

このように、お客を理解しようと、ほんのちょっとの努力をするだけでいい。それで、共感が生まれる。なぜなら、ほとんどの会社は、自分の商品自慢をするのに忙しい。お客の立場に立って考えよう、という標語は唱えるが、そのための具体的な質問ができない。

共感というのは、何年もかかって得るものではない。一瞬のうちに生まれるのである。

怒り、不満、不安、嫉妬、夢、喜びというお客の感情に、ほんの少しの時間、想いを寄せられるかどうかの違いである。

ほんの五分もかからない。しかし、この五分を費やすことに怠惰な会社には、一〇年経ってもファンがつかない。お客はただ単に、安ければ消費するだけである。

さて、あなたは、この五分を費やします？

しゃべりたくなる感情の引き金❺

ヒーローになる

先月、アメリカに出張したときの話だ。

ニューヨーク郊外の、マリオットホテルに宿泊の予約をしていた。飛行機が早くついたので、朝早くチェックインした。

すると、受付の横のボードに、ＭＡＳＡＮＯＲＩ　ＫＡＮＤＡと私の名前が書いてある。

「何で私の名前が書いてあるの？」とボーッと見ていたら、受付の女性が話しかけてきた。

「おめでとう、本日のゲスト大賞です！　あなた、部屋にいる？　それじゃ、五分後ぐらいに、プレゼントを届けるからね！」

私は、地球を半周回ってきた疲れが吹っ飛んだ。

五分後に、ボーイがゲスト大賞のプレゼントを持ってきた。中身は、何が入っていたと思うだろうか？

答えは、リンゴ一つ、オレンジ一つ、キャンデー一〇個、ポテトチップス、缶コーラ、一〇ドル相当の朝食券。手書きのカード。そして、マリオットホテル特製ベースボールキャップ。

値段にして大したことはない。しかし、正直、嬉しい。

この間、姉が自宅に来たとき、このベースボールキャップを見つけた。私は、ここぞとばかりに、ゲスト大賞になったことを自慢した。そして、いかにマリオットホテルは、素晴らしいホテルかについて一〇分にわたって講義した。

このベースボールキャップは、結構デザインがいいので、散歩に行くときにも、時々かぶる。そのたびに、「ゲスト大賞、貰ったぜ」と思い出す。自分でも不思議なぐらい、ゲスト大賞に選ばれたことが誇り高い（人生は、こんな小さなことが楽しい）。

考えてみれば、いつの間にか私は、マリオットホテルの無給の営業マンとなっている。

あなたも無給で働くこんな営業マンが欲しくはないだろうか？

ここに、ひとつの方法がある。

お客をヒーローにするのである。ヒーローになったお客は、しゃべりたい。しゃべらないとガマンできない。禁断症状に陥る。

ヒーローになったお客がしゃべるだけではない。それは、友達の話題になる。友達の噂ほど楽しいものはない。だから口コミになりやすい。

例を挙げよう。広島の写真店「はなや」は、七五三の写真のお客を集めるために、チラシを配った。これが昨年のチラシの、倍以上の反響。しかも長期にわたって電話がかかってくる。

マリオットホテルの帽子を
かぶってはしゃぐ著者近影……

→「はなや」http://www.hanaya@mx4.tiki.ne.jp

いままでは、プロのモデルを使って、カラーのチラシを配っていた。ところが、今年は、「お金をかけてもなんだから」ということで、モデルは雇わなかった。その代わり、七五三の写真を早めに撮りにきた子供をモデルに使った。素人なので、見栄えのいいモデルではないが、リアリティがある。

どうやら、このチラシが口コミになっているようだ。どうして口コミになるのだろう？

このチラシを、子供が見ているところを想像してみよう。

「あぁ、たかちゃんが、チラシに載っている！」

「あ、本当だ。かわいい」

「うちもそろそろ、写真とらなくちゃね」

「この写真屋さん良さそうね。たかちゃんのお母さんに聞いてみようかな」

このような会話が行われていることは、十分予想できる。

友達の噂話はとにかく楽しい。ということは、来年は、もっと多くの友達を、広告に掲載すれば、もっと話題にされることになる。さらに、「この広告紙面でお友達を見つけた方には、ご優待特別プレゼントを差し上げます」とすれば、チラシを見た人を店舗に誘導しやすくなる。

「いゃ〜、七五三というのは、特定の時期があるから、うまくいくかもしれないけれど、うちではなぁ」と思われるかもしれない。しかし、そこをもうちょっと考えて欲しい。なぜなら、同じ業界をみるよりは、他の業界でうまくいっていることを自分の業界にほんのちょっと応用するだけで、大きく飛躍するというケースが極めて多いからだ。

あなたの会社のお客を、広告に掲載するとすれば、どのような切り口が考えられるだろうか？　この切り口を見つける上で、もうひとつの事例を紹介しよう。

ある宝石店が、口コミを起こすように仕掛けた広告を出した。婚約指輪を販売するための広告であるが、指輪がメインではない。プロポーズの言葉をメインに打ち出している。広告紙面では、この宝石を買ったカップル、そしてその指輪の写真を掲載。さらにプロポーズの言葉を紹介している。

この広告の目論見は二つだ。

ひとつは、広告自体の注目度を高めることだ。ちなみに、この広告は、雑誌に掲載したものだが、ライバル会社の広告は全て、売りたい宝石の写真をきれいに掲載している内容だ。きれいな宝石が欲しい、というのは表の欲求である。それに対して、他人のプロポーズの言葉を知りたいというのは、裏の欲求である。覗き見趣味であるが、この欲求は極めて強い。でなければ、『新婚さんいらっしゃい』というような番組が、何十年も続いているはずはない。

先ほども話したように、表の欲求より、裏の欲求の方が反応を得やすい。つまり広告に注目する確率が高まるわけである。

もうひとつの目論見は、友達に対する口コミだ。ここでは、カップルをヒーローにしている。すると、このカップルも「雑誌に載ったのよ」と友達に話したくなる。そこで、友達に話す際に、渡したくなるツールをプレゼントする。

例えば、この広告をテレホンカードにして、お友達のカップルに渡してもらう。そのカードには、宝石店の電話番号、ホームページアドレスを掲載しておく。または、できるだけ小予算でやりたいなら、この広告をカラープリンターで印刷して、裏には、お友達用のご優待プレゼント券を付けておいてもいい。

友達には、同じ年代層が集まっている。さらにその収入レベルも近いわけだ。同じ予算帯の結婚指輪を購入する見込客としては、非常に有力な見込客となる。

お客をヒーローにするのは、決して難しいことではない。実は、広告に掲載するまでのこともない。

今月のお客様。今月の王様・女王様。

今月のお客様の声大賞。今月の伝言ゲーム優秀賞。

ネーミングを考えだせば、それでＯＫ。しかも景品は、あまり負担にならないような、ちょっとしたもので十分なのだ。

誰でも、自分がヒーローになれる機会はそんなにあるものではない。だから、お客をヒーローにしてあげよう。お客は、決してあなたの会社を忘れないことだろう。

まずお客をヒーローにする。するとお客は、あなたの会社をヒーローにしてくれる。

しゃべりたくなる感情の引き金❻

行列に並ぶ

アメリカの心理学者が、こんな実験をした。

マンハッタンで、一人が歩道に出て、空に向かって指をさす。すると、「邪魔、邪魔」と苦情の嵐になる。ところが、同じしぐさを、今度は三人でやってみた。するとその二〇分後には、バスが動かなくなるほどの人だかりができたという。

このように同じ動作をしている群集に、人間は弱い。人だかりがあるだけで、「一体、何に並んでいるの？」と聞きたくなる。「いや、みんな並んでいるから……」なんて返事も飛び出しそうだ。

この群集心理は、利用の仕方を知っていると、口コミを広げる上で、大変有効だ。

ウチの事務所の近くにラーメン屋がある。「娘娘」というラーメン屋なのだが、行列のない日はない。実は、二階席もあるようなのだが、学生のための専用席らしくて、一般のお客は入れない。「お客を待たせるぐらいであれば、二階席に案内した方が儲かるのに……」と思われる。しかし、行列ができることで、口コミが常に起こることになる。

一度この店で食べたお客は、友達にしゃべりたくなる。なぜなら、いつも行列ができているから、普通の人はなかなか入れない。そこで、手に入りにくいものを、自分はすでに知っているという優越感が刺激されるのだろう。

このようにお客が集まるところは、雪だるま式に、どんどんお客が集まることになる。

私はこれを「自転車のかごの法則™」と呼んでいる。駅前の自転車のかごに、紙くずをひとつ入れておく。すると、間もなく、紙くずが二つとなり、三つとなる。翌日には、ゴミでいっぱいになる。

これは紙くずだけの話ではない。すべてのものに応用が利くようだ。

例えば、募金を呼びかけるとする。その際、透明の募金箱を二つ用意しておく。ひとつの箱には、小銭やお札を少しいれておく。そして、もうひとつの箱には、何も入れない。すると小銭やお札を入れておいた箱は、空っぽの募金箱に比べて、早いスピードで募金が集まる。

このように「類は友を呼ぶ」ではないが、物自体に引力があって、引き寄せ合うようである。この法則を考えれば、行列があるところは、さらにお客がお客を呼ぶようになる。

「行列ができるところはいいけど、うちはそもそもお客が足りないんだから」と嘆く方もいらっしゃると思う。しかし行列はできるものではない。作るものなのだ。

多くの会社は、行列ができるにもかかわらず、作ろうとしない。だからお客がお客を集めようとしない。

それでは行列を作るには、どうすればいいか？

別にさくらを用意して欲しいということではない。

それは簡単なこと。

どんなものでも、どんな会社でも、必ず需要と供給がある。そこで供給を絞れば、行列ができる。ところが多くの会社は、商品を無制限に供給できるとの印象をお客に与えてしまう。

商品の数による制限だけではない。社員の労働時間による制限。品質を維持するための制限。さまざまな制限があるにもかかわらず、多くの客にできるだけの数量を提供しようとする。このために一人でも多くのお客を獲得しようという意図が見え見えなので、お客のほうは「いつでも買えるよ」となかなか購買を決定しない。そうすると、友達に話したいという欲求も起こらないわけである。

現実には、多くの会社では、その会社が考える以上に、供給が制限されている。

例えば、あなたの会社がスポーツクラブを運営していたとしよう。お客は何人欲しいだろうか？「何人でも欲しい」という答えになるだろう。しかし現実問題、スペースやスタッフを考えると、三〇〇人までしかお客が取れないかもしれない。さらに、それぞれのイ

自転車のかごの法則™

ひとつゴミが入ると、ゴミの入るスピードが速まる。

ンストラクターが教えるクラスの人数は、各クラス三〇名が限度かもしれない。そのスカッシュのクラスに、すでに生徒が二三名在籍していれば、残る七名しか集客できないことになる。その七名のうち、すでに三名が仮予約をしているとすれば、残る四名しか募集できない。

このように、全体のパイで見るのではなく、部分部分に細分化すると、供給は思っている以上に限られているのだ。すると、キャンセル待ち、行列を作るためには、さほど苦労しないことになる。

行列を作ることは、多くのメリットを会社にもたらす。お客がお客を呼ぶ。価格を引き上げることができる。お客を見つけることに時間をかけるのではなく、お客に奉仕することに時間をかけることができる。

当然、文句を言うお客も出てくる。しかし、そのお客に悪いと思って、供給を増やしてしまうと、大概クオリティが下がる。その結果、今までの客が離れていく。行列ができなくなる。口コミが起こる力も弱くなってくる。このような悪循環にはまってしまう危険性が高い。

あなたのまわりでも、取引先に要請されて事業を拡大し、その結果、間接費・固定費が高くなってしまって大変な苦労している会社があるのではないだろうか。この時代、必要以上に、拡大することは、決して賢い方法ではないのだ。

あるレストランは、毎日二組しかお客をとらない。昼に一組、夜に一組である。その結果、半年先まで、予約で埋まっている。

旅行会社「トリップナンバーワン」（東京都・千代田区）は、航空券が激安のため、業界でクレームが起こり、会員制に移行した。その結果、既存客が年会費を納め、なおかつ紹介率が高まっている。

屋台のラーメン屋「麺・s」（沖縄県・那覇市）は、いままで営業できた場所が閉鎖されたため、新天地に移った。それまで一日一〇〇杯ぐらい売れていたのに、新しい場所では、一日やっても、二〇杯しか売れない。そこであるとき、「二時間限り・幻のラーメン」として、供給を二時間に絞ったら、その二時間で六〇杯売れた。

人材募集の広告では、「誰でも、働きやすい会社です」というコピーでは集まらなかった。そこで、「滅多に募集しない当社ですが、優秀な人材を若干名募集いたします」としたとたんに、応募が相次いだ。

行列は、いつかできると漠然と思っていても、できるものではない。行列は供給を絞ることによって、自ら作るものである。その行列に並んだお客は、苦労して得たその希少な体験を話したがる。口コミを広げる上で、大変強力な方法だ。

しゃべりたくなる感情の引き金❼

コミュニティに参加する

私の勉強会に参加された方から聞いた。

北海道に、面白い床屋があるという。

どのような床屋かといえば、格闘技好きのための床屋。

置かれている雑誌は、すべて格闘技の雑誌。過去の重要な試合のビデオは、全巻揃えてある。この店の店員およびお客の精神的支柱は、ブルース・リーと決まっている。店にはブルース・リーのポスターが張り巡らされている。

そこのお客は、初めて会ったのに、初めてのような気がしない。初対面の人でも、一〇年来の友人のように、気軽に話をする。例えば、「あの試合で、ギロチン・チョークという技を出したのは、誰だったけな、ど忘れしちゃった」という会話が店内に流れると、見知らぬ人が、「あれは、マーク・ケアーですよ」とか答えるわけだ。

しかも、その店員とお客との関係は、店内に留まらない。店員と客が、格闘技大会に参加してしまうのである。だから店員とお客が練習するし、また合宿を開催する。プロの格闘家が、顧問をやっているという噂もある。それだけ、濃い床屋なのである。

格闘技好きにとっては、究極の憩いの場となっているのだが、ひとつ問題がある。予約制なのだが、毎回、予約がいっぱい。だから髪を切りたいときに、切りに行けない。そこで、他の床屋で髪を切ってから、この床屋に行くわけである。要するに、髪が伸びてなくても、行きたくなる床屋なのだ。

冗談のような話だが、実在するらしい。

「格闘技好き」という極めて限定された対象だけに絞っていながら、なぜ予約でいつもいっぱいなんだろう？

そうだ、口コミだ。

この床屋は、格闘技好きのための、またとないコミュニティになっている。人間は、自分が属するコミュニティに愛着を感じれば感じるほど、どうしようもなくしゃべりたくなってしまう。そして、他人をそのコミュニティに引きずり込もうとする。だからこの店は、お客がお客を連れてくるようになる。

それでは、どうすれば、あなたの会社に、お客のコミュニティを作ることができるのか？

これには、最低限、やっていただきたいことがある。

お客を絞り込むのだ。

何もあなたに、格闘技好きのお客のための会社を作って欲しいと言っているわけじゃない。また通常のマーケティング本に書かれているように、お客を分類して、年収層や年代層、さらに心理的な属性を分析して、統計学的に絞り込んで欲しい、とモットモらしく聞こえるが、実際上、意味のないことをお願いしているわけでもない。

答えは、簡単。

あなたが、付き合いたい客に絞って欲しいのだ。これがコミュニティを作っていくための、最低条件だ。

具体例で説明しよう。

次のチラシは、出したとたんに電話が鳴りやまなかった。夏に撒いたチラシであるが、その効果は一一月になっても止まらない。その月に二〇台以上の受注があり、どうも保存されて、口コミになっているらしい。

この会社「VIP三晃」(神奈川県・横浜市)のコミュニティは、一流のお客様を対象にしている。商品も、一流のメーカーだけに絞り込んだ。大手量販店と対抗できる価格帯のエアコンを仕入れることはできるのだが、それをあえてチラシには出さない。そして「一流の商品を、一流のサービスで、そして一流のお客様へ」を店のコンセプトとした。つまり「値段だけの安物買いをしたい方は、どうぞ量販店にいってください」ということだ。

このように潔く対象外のお客を手放したとき、お店の姿勢が見えるようになる。そして、

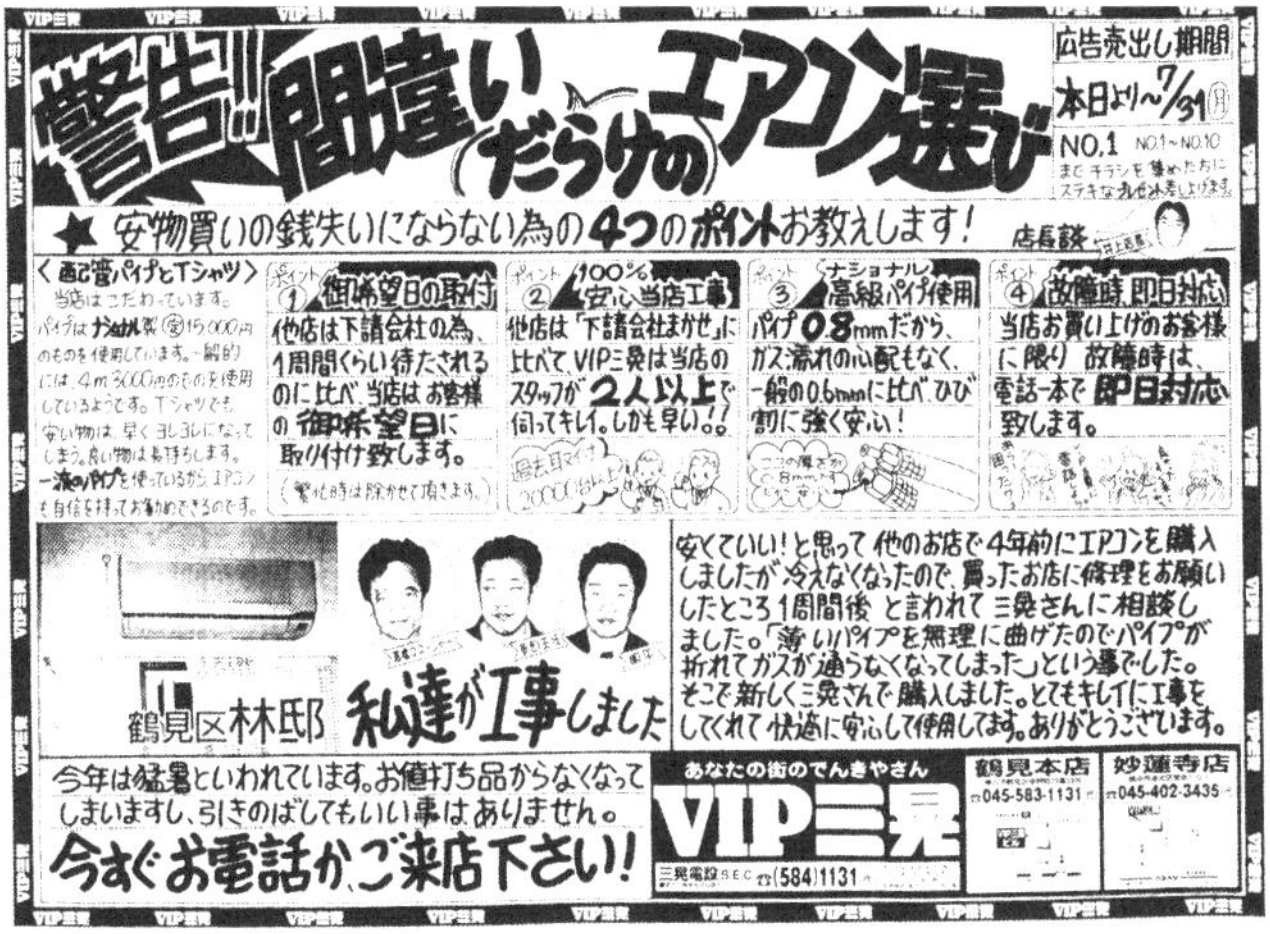

口コミになって何ヶ月も効果が続いたチラシ

その姿勢に共感するお客が集まる。そこで、一流のお客のコミュニティが形成しはじめられるのである。実際に、この店のお客には、超有名スポーツ選手がいたり、また超有名大物歌手がいたりして、本当に一流のお客が多い。

「お客を絞り込みなさい」というのは、ビジネス書に必ず書いてある定石である。しかし現実問題、大抵の会社は、絞り込むことができない。「お客を絞り込まなければ」と思ったとたんに、行き詰まる。

ところが、この行き詰まりを解消する簡単なコツがある。

二枚の紙を用意して欲しい。

まずは一枚の紙を取り上げる。あなたの会社が、付き合いたくないお客を、その紙にリストアップしてみる。例えば、安値商品ばかりを狙うお客。クレームばかり言う客。無理難題を言うお客。何ならば、付き合いたくないお客の具体名を挙げてもいい。このようなお客は、ライバル会社に面倒みてもらったほうがいい。

リストアップが完成したら、この紙はくちゃくちゃにして、ゴミ箱に捨てる。もしくは、灰皿の上で燃やしてしまう。このように、常識的な経営者からは怒鳴られそうなことを、やってみる。

そして、もう一枚の紙を取り上げる。こちらの紙には、理想のお客をリストアップする。理想のお客は、あなたが、それだけ愛しているわけだから、それにふさわしい最高の待遇を提供する。こちらのリストに選ばれたお客にとって、あなたの会社は、自分にふさわしい、またとない会社となる。

全てのお客を愛そうとするから、誰も愛せない。潔く、いらないお客は、ゴミ箱に捨てる。こうすることにより、逆に、この会社に選ばれたお客は、自分のコミュニティを感じることになる。そして、自分に共感する仲間を増やすために、外に向かって、このコミュニティの情報を発信していくようになるのだ。

社長と社員の反省会

「なんだか、お客との心理戦だな。イトーヨーカ堂の社長が『これからの消費とは、経済学じゃなくて、心理学だ』と言っていたけど、このことだったんだな」

「この著者も、購買は感情で決定し、理屈で正当化される、と言っていますね」

「要は、心理学を、どうやって儲けるかという実学に落とすかなんだな。こういう観点から口コミを考えると、どうして人はしゃべりたくなるのかという問題に行き着くわけか」

「うん、そうなんですけど、しゃべりたくなる場合というのは、あまり多くのパターンがないんですね。私は、おしゃべりなほうじゃないですけど、どうしても喋りたいときというと、パチンコで勝ったとか、競馬で勝ったとか、可愛い女の子にあったときとか。そういう劇的な瞬間が、ほとんどですね」

「お前は、単純だからな。確かに、劇的な瞬間や、劇的な空間というのは、口コミを起こすぞ。これが著者のいう、口コミのギャップ理論だろう。でもまともな人は、もっとパターンはあるぞ。この本によれば、しゃべりたくするには七つの引き金がある、ということだな。なんだっけ、その七つは?」

「スキャンダル、物語、十字軍、裏の欲求、行列、ヒーロー、コミュニティ。この七つですね。使い方によっては、それぞれ、かなり効果をあげそうですね」

「そうかなぁ。しゃべりたくなる感情というのは、分かったんだけど、実際、自分のところに応用しようと思うと、皆目検討つかないな。大体、コンサルタントっていうのは、具体的なことは一切言わないからな」

「社長はそういうけど、事例をそのままポンと渡されて、そのままうまくいくことってありましたかね」

「そりゃないな。しかも、うちの会社には、うちの会社の状況があるからな。自分で考えないと、実行しないもんな」

「要は、うちにとって、最適な答えを見つけなくちゃならないんです。そのためには、その答えを導きだすための、最適な質問をしないと……」

「それじゃ、うちの会社の口コミを広げる方法を見つけるには、一体、どんな質問をすればいいんだ?」

「それは、六つの質問に答えるだけでいいんです。次の章で、著者は、その六つの質問について解説しているんですけど、これはコロンブスの卵ですよ……」

第4章

あなたの会社で、口コミをコントロールするには？

第三章では、お客がしゃべりたくなるという感情が、一体どんな要因によって引き起こされるのかについてお話しした。しかしこれはあくまで、一個人がどうすればしゃべりたくなるか、という話である。お客にしゃべってもらうための大前提になるが、それだけでは、大きな口コミは起こせない。

口コミは、一人がしゃべってもダメだ。

一人がしゃべるだけではなく、それに連鎖的に火が点いて、永久機関のように動かなければならない。一人で何十人にも何百人にも伝える。そのような連鎖反応を起こすことが、どうしても必要となる。

私が「連鎖反応」という概念を重視する理由は、個人的な実体験にある。

一昨年、私は『あなたの会社が90日で儲かる！』という本を出版した。ビジネス書としては非常識なショッキング・ピンクの装丁で、人をバカにしたような過激なタイトルの本だ。

この本は年間一〇万部以上という、マーケティング関連書としては破格の売上部数を記録した。あなただけにこっそり告白すると、「私の予想以上に売れてしまった」というのが実感である。

実は、その売れ行きを見ていると、途中から奇妙な売れ方をしていることに気付く。テレビに取り上げられたわけでも、新聞・雑誌の書評に取り上げられたわけでもない。確かに「トップポイント」という注目図書を経営者層に紹介する雑誌には取り上げられた。しかしメディアで紹介されたのはその程度。他の売れる書籍と異なり、マスコミへの露出は、ほとんどなかった。

自分のことながら奇妙だと思ったのは、読者の口コミが凄かったのだ。

ある大手ＯＡ機器メーカーの社長は、この本を社員全員に買って読むように指示した。ある中堅建材メーカーでは、全社的に、この本に書かれた方法で営業をすると発表。ある化粧品会社は、この本を二〇〇〇冊買って、代理店に配っているという。

読者ハガキでも、「私は、少なくとも二〇冊はこの本を売りました！」というコメントがあったりする。このように、私の本について積極的にしゃべってくれる、紹介してくれる読者が続出したのである。

私にとっては、とても不思議な現象だった。

一体、何がこの人たちを、しゃべらせたのか？「しゃべる」という行為が伝染していくプロセスというのは、一体どういうものなのか？

私は考えた。このプロセスが分かれば、既存客をベースに、永久機関のようにお客を増やしていく方法論を築けるのではないだろうか？

私は、口コミ・紹介という観点から、いままでの私のコンサルティングのやり方をもう一度見直してみた。そして、ビジネスの現場で口コミを仕掛けていく方法について、試行錯誤を重ねてきた。その結果、口コミの伝染プロセスをシステマチックに構築する方法が、ある程度見えてきた。

お客がお客に、口コミを伝染させる場合には、六つの重要な鍵がある。この鍵を活用することによって、あなたの会社で、取るべき具体策が分かるようになる。

この章では、あなたの会社で口コミの伝染プロセスを構築する方法を、ステップ・バイ・ステップで解説しよう。

お客がお客を連れてくるように仕掛ける方法

「風邪をひいてしまった」と想像して欲しい。

あなたは、どんなことを考えるだろうか？

誰から伝染《うつ》ったのだろう？　どこで伝染《うつ》ったのだろう？

会社で伝染《うつ》ったのだろうか？　それとも、一緒に食事をしたときに伝染《うつ》ったのか？

ちょっと考えると、「あぁ、あのときに、伝染《うつ》されたんだな」と思い当たるだろう。

このように風邪は、のべつまくなしに伝染するわけではない。特定の条件が重なったときに、伝染する。

口コミも同様である。無から有が生まれてくるのではない。特定の条件が重なったときに、伝染しやすくなる。

それでは、その条件とは、何なのか？

口コミの伝染プロセスで鍵となる設定条件は、次の六つである。

①伝染させる人
②話題になる商品
③話される場所
④話題となるきっかけ
⑤伝えられるメッセージ
⑥記憶に粘りつくツール

それぞれの鍵について、説明しよう。

口コミ伝染プロセス　第一の鍵

伝染させる人

次ページの写真を見てもらいたい。一体、何が見えるだろうか?

羊の群れがいる。

その羊の群れの、はるか後ろに人間がいる。その人間は何をしているんだろうか？　写真ではそこまでよく見えない。

多分、羊を移動させているところなのだろう。

あなたは、この写真からどんなヒントを得ただろうか？

羊を移動させる方法は二つある。

ひとつは、棒を持って、羊を一頭一頭追いかける方法である。ところが、この写真ではそんな手のかかる肉体労働はしていない。

この写真では何をしているか？　羊は勝手に動いている。

それじゃあ、なぜ羊は順序よく動くのか？　それも勝手に、自主的に。

先頭の羊を見て欲しい。先頭の羊の首には、何がある？

鈴である。なぜ鈴があるのか？

そう。先頭の羊に鈴をつけておけば、その鈴の音で、他の羊が、その後についていくのだ。これが羊の群れを移動させる、もうひとつの方法だ。

あなただったら、どちらの羊飼いになるだろうか？

一頭一頭、羊を棒で追って、走り回るか？　それとも影響力のある羊一頭に鈴をつけて、その他の数十頭の羊を引き連れさせるか？

この写真は、私が意図的に撮影したものではない。どこにでもありそうな風景写真だ。それにも関わらず、八〇対二〇の法則——二割の人が八割の仕事をする——という法則に当てはまっている。


同じことが、口コミの伝染にも当てはまる。

口コミに対する典型的な会社のアプローチは、「顧客満足度を上げれば、お客は感動してしゃべってくれる、友達を紹介してくれる」ということだ。決して間違いとはいえない。しかし、それは一頭一頭の羊を、棒で追いかけるというあまり頭を使わない労働をすることである。

頭を使わない労働は罪である。せっかく頭脳をいただいたのだから、知的労働をするのが、望ましい。この羊飼いのように、賢く、そして楽して生きるべきである。

それでは、この羊飼いのように、口コミ・紹介を賢く活用するには、どうすればいいだろう？

羊の群れに、先頭に鈴をつけた羊がいるように、口コミ・紹介をしてくれるお客には、偏りが見られる。要するに、全員がまんべんなく誰かを紹介するのではない。お客を紹介する人は紹介するし、紹介しない人は紹介しない。

卑近な例だが、私の会社においても、お客を紹介する人は徹底的に紹介する。あるとき紹介キャンペーンをやったら、自分の持っている名刺三〇〇枚をコピーしてファックスして送っていただけた、というケースもあった。それだけの名刺をコピーするのは、大変な作業だろう。そんな苦労を全く厭わず、紹介してくれる。

ところが逆に、紹介しない人は、まったく紹介しない。私のセミナーには欠かさず来てくれる人がいる。私が推薦するものは、すべて購入する。ある意味で、マーケティング用語でいう「信者客」なのだが、その方が、積極的に紹介しているかといえば、まったくそんなことはない。

あなたの会社では、どうだろう？　改めて考えてみると、紹介してくれる人は「この人と、あの人」と、顔が思い浮かぶのではないだろうか？

このようにお客には、紹介が好きな人と、紹介にあまり関心のない人がいるのだ。紹介が好きな人は少数派だが、大量にお客を紹介してくれる。この紹介好きの少数派が、口コミ伝染における、鈴をつけた羊となる。

KEY　口コミを広げるためには、誰に鈴をつけたらいいのだろう？

これが、あなたが口コミを起こすために、答えなくちゃならない、ひとつめの大事な質問である。

まず目安として、一五〇人をピックアップしたい。

この数字は、人類学では「一五〇の法則」*と呼ばれており、「この人は友人だ」と言える最大許容人数となる。

例えば、結婚式の招待状を出すとしよう。その際に、誰を招待しようかと考える。すると平均的には、一二〇〜一五〇人程度になる。

年賀状も同じような数字に落ち着くのではないだろうか？　単なる「知り合い」は別であるが、久しぶりに会っても気を使わずに飲めるという「友人」を数えると、一五〇人程度に収まる。この一五〇人のお客が、鈴をつけた羊となる。

一五〇人を選ぶ三つの優先順位

それでは、どんな基準でその一五〇人を選んだらいいのだろう?

優先順位は、次のとおりだ。

①過去、お客を紹介してくれた人

まず過去に、お客を紹介してくれた人を優先的にピックアップする。なぜならば、一度紹介したお客は、次にも紹介しやすい。理由は、紹介慣れしているからである。

これは、営業マンが一度売り込みに成功すると、その後も成功しやすいのと同じだ。これを「売りぐせがつく」というが、お客も同様。一度紹介したお客は、「紹介するには、どうすればいいか」について、紹介ぐせがついている。その結果、まったく紹介したことがないお客と比べると、スムーズに紹介ができる。

「過去、お客を紹介してくれた人は、誰ですか?」と聞かれても、社長は、答えられないかもしれない。しかし、通常お客との接点を持っている社員は、それとなく分かっている場合が多い。顧客名簿を見せて、紹介してくれそうなお客の名前をチェックしてもらえばいい。

②紹介によりお客になった人

次に優先するのは、紹介により、お客になった人である。なぜならば、紹介によりお客になった人は、広告を見てお客になった人より、紹介する傾向が高いからである。

広告を見てお客になった場合には、その会社が本当にお薦めかどうかは、自分独自の判断となる。しかし、紹介でお客になった場合は、自分だけの判断ではない。すでに、別の知り合いの折り紙つきなのである。すると、それだけ安心して、自分の知り合いも紹介することができる。さらに自分も紹介されたのだから「紹介してあげよう」という・・・・・紹介が当たり前の雰囲気になっていることも、理由として挙げられるだろう。

③情報発信役となっている人

最後に、情報発信役となっているお客を選択する。その人がしゃべれば、多くの人に飛び火する可能性があるからである。

例えば、私の本は「トップポイント」という雑誌に掲載されたために、その読者は、私の本を知ることができるようなった。また、インターネットでのメールマガジンにも何度か掲載された。そのため、目に見えて問い合わせが増加したことがある。

このように影響力のある人材、信用力のある人材はピックアップしていく。例えば、学校の先生、政治家、経営者、マスコミ、新聞記者等、その他しゃべる職業に就いている人々等。このような職業は、情報の発信役となることが多い。

先日、インターネットでの電子商店では草分けの人と話をしていたが、その人の会社の創業当初のお客には、いまをときめくインターネット・コンサルタントが何人もいたという。つまり、しゃべることを職業にしている人は、口コミの大きな原動力になる。

以上のように、お客全員に同じぐらいの労力をかけるのではなく、紹介しやすい傾向がある、影響力のある少人数に、社内リソースを使っていくわけである。

口コミ伝染プロセス　第二の鍵
話題になる商品

ここまでの方法で、あなたは、核になる一五〇人を明確化できたとしよう。

この一五〇人を通じて、口コミウィルスを伝染させるのが、次の仕事だ。

口コミ伝染プロセスの第二段階では、伝染させる商品を明確化する必要がある。この商品の選択を間違えると、口コミは思うように起こらない。

事例を挙げて説明しよう。

「株式会社そら」（前述）は、顧客数一七五〇名ほどの会社である。

昨年初め、口コミ伝染プロセスを調べ直し、紹介キャンペーン内容を変更した。その結果、いままで紹介による新規客は、毎月二五名ほどだったが、現在は、毎月四〇～五〇名に増えた。鍵となる上得意が五〇〇名だとすると、その八～一〇％が、毎月、新たなお客を紹介していることになる。

月々の数字であれば、決して驚くほどの数字ではない。しかし、この数字は、毎月継続的に起こる数字なのだ。しかも、口コミという媒体に、費用がかかるわけではない。

このように口コミというのは、システム化することによって、短期的な効果ではなく、未来永劫に続く利益を生むことになる。

まず伝染プロセスを説明する前に、この会社について、簡単に紹介しよう。

株式会社そらは、健康食品の企画・販売をしている。社長は理学博士であり、商品に徹底的にこだわるタイプだ。商品ラインには、ダイエット食品、「サンゴの力」という水関連商品、カルシウム補給用の食品等がある。

広告で効率的に拡販する方法もあるのだが、お金のかかる広告には消極的だったので、既存客をベースにした紹介客を増やしていく方法に、まず取り組んだ。

紹介客を増やす、継続性のあるしくみというのは、どうやって作ればいいのだろうか？　本当に、そんな都合のいいシステムができるのか？　初めはみな手探りだった。

そこで、株式会社そらの永島社長、新藤さんと、私の三人は、狭い会議室で話し合った。

以下は、その記録である。

「神田さんは『既存客から紹介してもらいましょう』というけど、紹介してくれる人は、ほんの一部なんです」

「ええ、紹介する人が一部というのは仕方がないけど、それが広がりを持つといいですよね」

「どうすればいいんでしょう？」

「紹介されてくる人は、まずどの商品から購入するケースが多いと思います？」

「え〜と、それは様々です」

「うん、様々なんでしょうが、それでもあえて『これ』というと、比較的多いのはどれですか？」

「やっぱり『サンゴの力』かな。サンゴの粉末を主成分にしているんですが、水に溶かして飲むんです。ほかの商品は、入り口としてはちょっと分かりにくいからな。入りにくいかもな」

以上の会話でのポイントは、何だろう？

どの会社にも多くの商品がある。しかし、お客にしゃべってもらうことを考えると、難しい商品はしゃべってもらえないのである。

これは、伝言ゲームをやったときに、複雑なメッセージを伝えようとすると、伝わる精度が落ちてめちゃくちゃになるのと同じだ。だから、口コミになるのは、分かりやすい商品になることが多い。

商品がたくさんある会社の場合、紹介者は「この会社の商品は、いいよ」と、全ての商品を平等に紹介するわけではない。また「あなたの場合は、これがいいよ」と、友達に合わせて紹介する商品を変更するわけでもない。こういった提案営業は営業マンでも難しいのだから、無給のお客ならば、なおさらである。

そこで、紹介する商品にも、八〇対二〇の法則が成り立つと考える。要するに、二割の商品が八割の紹介を獲得する要因になっているだろう、と予想するのである。

そこで、あなたが口コミを起こすために、まず答えなくてはならない、二つめの大事な質問とは……。

KEY 紹介されたお客は、まず、どの商品を購入するのか？

もちろん、これは具体的な商品でなくてもいい。商品カテゴリーでもいいわけだ。

例えば、「カルチェリング」ではなく、「結婚指輪」を購入するケースが多いとか、[*]「アーロンチェア」ではなく、事務用の椅子を購入するケースが多いという具合だ。つまり特定商品名である必要は全くない。

それでは、商品ラインが一品目しかない会社は、どうするのか？

例えば、引越し会社。

この場合、商品はひとつでも、状況によって細分化することができる。紹介される場合は、マンションの引越しが多いのか、転勤の際の引越しが多いのか、という具合である。

要するに、紹介において八割の影響力を持つ二割の商品もしくは商品カテゴリーは、一体何だろうかと考えて欲しいのである。

ちなみに、いまあなたがこの質問に対して納得いく答えが見つけられなくても、大きな支障はない。分からないなら、分からないままにしておこう。本書を読み進むうちに、思考の相乗効果が起こって、答えが浮かぶことになる。

口コミ伝染プロセス 第三の鍵
話される場所

「株式会社そら」の二人は、自分たちの仕事があまりにも単純化されすぎているんではないか、と不安に思っているようだ。誰でも、自分の仕事を、簡略に考えられるのは納得がいかない。「うちはユニークな状況だから、他と同じように単純化されては困る！」と思いたくなるだろう。

しかし、ビジネスには「仮説と検証」が大事だ。仮説を立て、それを検証する。

その当たり前のことをやるために、私は話を続けた。

「お客さんは、様々な商品を通して御社にお客を紹介するんだけど、仮に『サンゴの力』が紹介されるケースが一番多い、という仮説で、話を進めていきましょう。この仮説でいいですか？」

「それで話を進めましょう」

「それじゃ、どうして、サンゴの力が多いのでしょう？」

「勧めやすいからでしょうね」

「そうですよね。それじゃ、どこで勧めるのでしょう？」

「う〜ん、それもいろいろです」

「それでは、最近、一番、サンゴの力を紹介してくれる人は、お客さんのなかで誰ですか？」

「具体名でいいんですか？」

「そうです、具体名を挙げて欲しいです」

「えーと、それは工藤さんです」

「それじゃ、工藤さんは、どこで紹介するんでしょう？　その情景を思い浮かべてほしいんですけど……」

「多分、友達としゃべっているときですよね」

「電話で？」

「違います。多分、喫茶店とかででしょう」

「どっかの集会で、友達同士が集まったときですよね」

「そう」


ここでのポイントは、お客が口コミを伝染させる「場所」だ。

風邪は、のべつまくなしに、伝染されるのではない。電車の中や人ごみ等の、特定できる状況下で伝染される。

口コミも同様だ。人から人へ、あるメッセージが伝言される場合には、特定の状況があるはずなのだ。

すると、「サンゴの力」の場合は、電話で、話されるとは考えにくい。どちらかと言えば、喫茶店やレストランで食事をしているとき話題に出るだろう。これが、株式会社そらにとっての、口コミウィルスが伝染しやすい場所である。

とすると、あなたが口コミを起こすために答えなくちゃならない三つめの大事な質問は……。

KEY

お客は、どこの場所で自分の商品を話題にするか？

この質問についても、いまは明確な答えがなくてもいい。あとで、パズルがはまって絵になるように、それぞれの質問が結びついてくる。頭の片隅に置いといて、次に進んでみよう。

口コミ伝染プロセス　第四の鍵
話題になるきっかけ

「その喫茶店で、いきなり、『サンゴの力』について話しだすんでしょうか？」

「いや、いきなりしゃべり出したら変ですよね」

「それじゃ、『サンゴの力』が話題になるには、どういうきっかけがあったんでしょうか？」

「多分この年代の人は、常に健康の話をしているから、それがきっかけじゃないかな」

「先ほどの工藤さんですが、その人は、もしかして『サンゴの力』を持ち歩いていますか」

「そうです」

「すると、喫茶店では何をしますか?」

「その『サンゴの力』を水に入れる」

「すると?」

「まわりの友達が、それな~にと聞く」

「そこですよ！　口コミが起こる、真実の瞬間は」


ここで紹介者は、友達の関心をぐっと惹きつける行動をしている。友達の目の前で、『サンゴの力』を水に入れて、飲んでいるのだ。

もちろん、紹介者全員がこのように行動しているわけではない。しかし、紹介者全員の行動パターンを解明する必要はない。

知りたいのは、紹介する数が多い紹介者――トップ営業マンになぞらえて、トップ紹介マンと呼ぼう――は、一体どんな紹介方法を取っているのか、ということである。

トップ営業マン同様、トップ紹介マンも、効率的な紹介獲得ノウハウを持っているはずである。すると、紹介を広げていくために、最も簡単な方法は、トップ紹介マンの取っている方法を、新人紹介マンに伝えることなのである。トップ紹介マンが、どのように紹介しているかを探る。あなたは、その効率的な紹介方法を、他のお客に伝えてあげればいいわけだ。

さて、トップ紹介マンは、「工藤さん」というお客であることが分かった。

トップ営業マンは、話のきっかけをつかむのがうまい。そのきっかけがつかめないと、話しすらできないからである。そこで、トップ紹介マンにも――本人は全く無意識にやっていることだろうが――紹介する商品の話題にもっていくきっかけがあるはずなのである。

そこで、あなたが口コミを起こすために、答えなくてはならない、四つめの大事な質問とは……。

KEY

トップ紹介マンは、どんなきっかけで、その話題を出すのか？

口コミ伝染プロセス　第五の鍵

伝えられるメッセージ

　トップ紹介マンというコンセプトが見えたことによって、「そら」の二人も、少し目の色が変わってきた。数多くの紹介をしている、トップ紹介マンの行動。これが分かれば、口コミを広げる糸口になりそうだ。

「『真実の瞬間』ってなんですか？」

「うん、紹介に至るかどうかを決める、決定的な瞬間のことです。きっかけがないとしゃべりにくいでしょう。例えばあなたが家を新築したとするよね。こりゃ、しゃべりたくてしょうがない。ところが、いきなり『私、新築しちゃってさ』という話をしたら、いかにも自慢っぽいでしょう。だから、その話題をスタートさせるきっかけは、必ずあるはずなんですよ。それが御社の場合は、『サンゴの力』を目の前にあるコップに入れるということだった」

「確かに、そういう行動パターンをとっているお客は多いです」

「そうすると、まわりのお友達は、なんて言う？」

「『それ、何？』と聞くでしょう」

「としたら、工藤さんは、なんて答える？」

「なんて言うだろう？　あぁ、この『サンゴの力』を入れるとおいしい水になるから、その話をすると思うよ」

「『これ入れると、塩素がなくなって、しかもカルシウムが増えて、すごいのよ』とか言っているんでしょうか？」

「多分、そんなところだと思う」

「その『決まり文句』があると思うんです。それを調べていただけませんか？　その小さなきっかけが、大きな波を生むんです」


工藤さんの決まり文句。これが口コミを起こす核心部分なのである。

伝言ゲームであれば、伝えるメッセージの部分だ。

伝言ゲームは、伝えるメッセージが複雑だと、間違って伝わってしまう。それだけ人間の記憶は不確かなのだ。だから、誰にでも直感的に分かる、簡潔なメッセージにしなければならない。

口コミが伝染するプロセスでも同様。口コミが伝えられる際、そのメッセージは、極めて単純なことが多い。その単純な言葉――トップ紹介マンが使っている、紹介メッセージ――を知りたいのである。

そこで、あなたが口コミを起こすために、答えなくてはならない、五つめの大事な質問とは……

KEY トップ紹介マンは、どんな言葉を使って、説明しているのか？

株式会社そらの二人は「困ったな」という顔をしている。なぜなら、工藤さんがどのような言葉を使っているのかを、どう調べていいのか、分からないからである。

実は、それを調べるには、簡単な方法がある。

例えば、お客からこんな電話がかかってきたとする。

「工藤さんから、紹介されたんですけど……」

そのときに、次の魔法の質問をするのだ。

「あぁ、そうですか。工藤さんは、私どものことを、なんておっしゃってました？」

この一言が、強力である。

私が、これを「魔法の質問」というのは、それなりの効果があるからだ。

ひとつには、この単純な質問で、どんな状況で、どんな言葉を、トップ紹介マンが使っているか分かるということ。

さらにもうひとつの効果として、お客が自己説得する効果がある。つまり、自分がしゃべっているうちに、自分を説得してしまうのである。だから、あなたは、まったく商品説明をすることなく、お客に商品を買っていただけることになる。

伝えやすい伝言メッセージを作る方法

トップ紹介マンは、なんといっても素人だから、理想的な紹介トークを使っているとは限らない。そこであなたは、トップ紹介マンが使っているメッセージを参考に、伝えやすいメッセージを見つける必要がある。

そこで、効果的な伝言メッセージを作る二つの秘訣をお教えしよう。

ひとつめの秘訣は、あなたの会社の商品を、ズバリ二〇秒以内に説明する、ということ。

なぜ二〇秒以内なのか？　私は、二〇秒という数字が——厳密に言うと二二秒～二五秒なのだが——全く新しいトピックについて、相手の関心をつかむために必要な、限界秒数であると考えている。言いかえると、相手が知らないトピックについては、相手の関心を二〇秒以内に捉えないと、聞く耳を持ってもらえない。

この二〇秒という数字には、実験結果がある。

「株式会社ジー・エフ」(東京・文京区)はオートダイヤルというコンピュータで電話を

→「株式会社ジー・エフ」http://www.gf-net.ne.jp

20秒を超えると、とたんに話を聞かなくなる

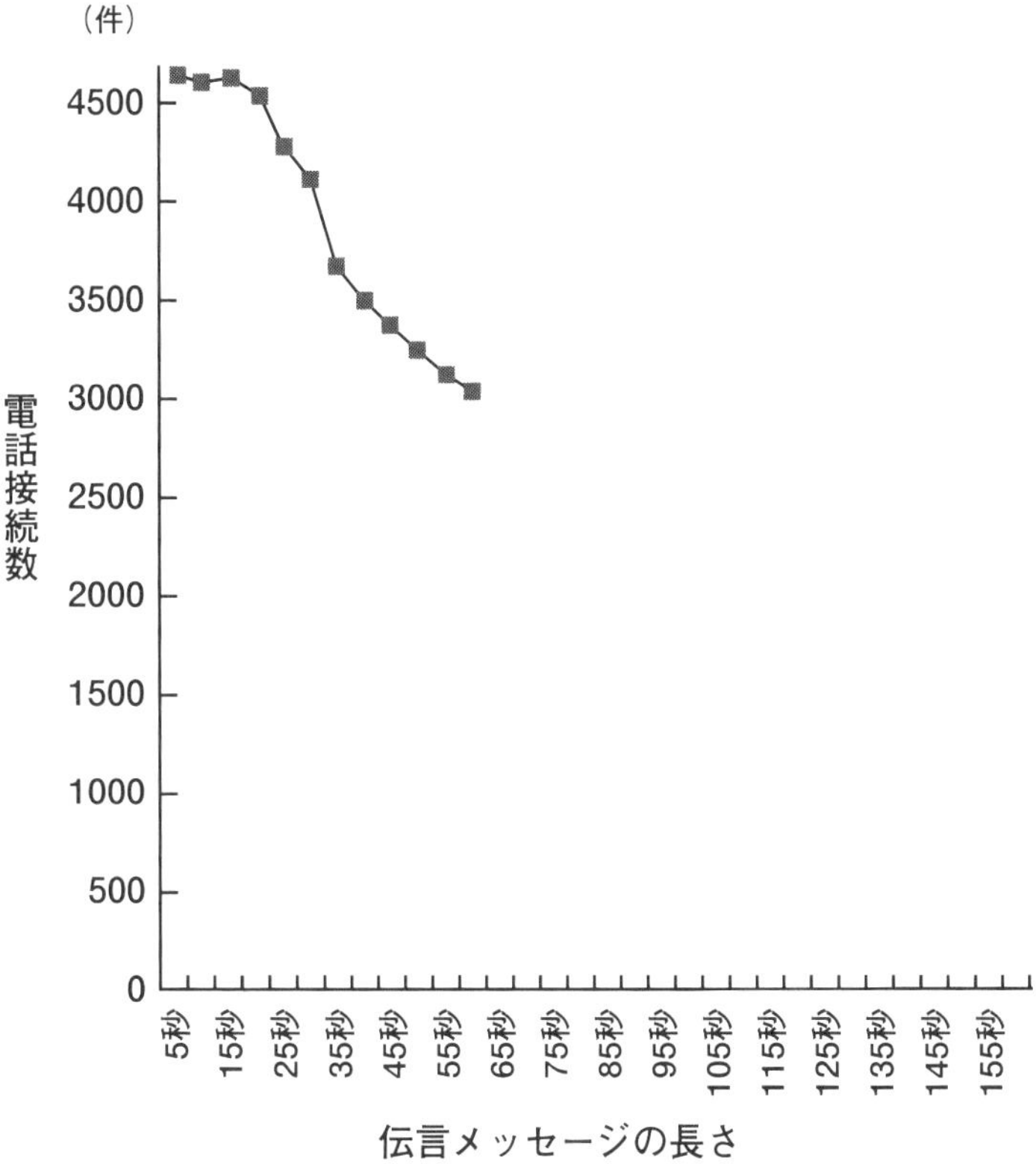

(株)ジー・エフ社内資料より

かけるサービスを提供している。企業が顧客開拓に活用する方法であるが、オートダイヤルを使うと、数十分のうちに、何千件もの電話をかけ、見込客に対して同一のメッセージを配信することができる。

電話を受ける立場としては、いきなりコンピュータによる録音メッセージが流れるわけだから、当然、メッセージの途中で電話を切る人は多い。しかしメッセージが流れはじめた二二秒〜二五秒の範囲であれば、切断率は0%。その後は、一秒ごとに急速に電話を切られる率が高まる。逆に言えば、この間ならば、ほぼ一〇〇%の人が、メッセージを聞いてくれるということだ。

この実験データを参考にすると、商品の内容を、口頭で伝える際には、ズバリの特長を二〇秒以内で簡潔に表現することが重要となる。

もうひとつの秘訣は、伝言メッセージに、商品の特長を二つ入れること。

この例で言えば、「水道水から塩素を取り除き、おいしいミネラルウォーターにする」というのが二つの商品特長だ。

商品特長がひとつだと、説明が具体性に欠けることになる。

例えば「水道水から塩素を取り除く」と説明したとする。すると、この商品はなんだか分からない。なぜなら、同じ説明に該当する商品――浄水器を通した水、ミネラルウォーター等――がたくさんあるからである。同様に「おいしいミネラルウォーター」と説明しても、明確性に欠ける。「ミネラルウォーターだったら、コンビニに行って買えばいいよ……」ということになってしまうからである。

しかし、二つの特長を挙げると、対象がぐっと狭められて、話している内容が極めて明確になる。一個の点に線を引いてもグラグラするが、二個の点を結び合わせれば、線は固定化できる、ということに似ている。

だから、二つ以上の特長を二〇秒以内に伝えることが、商品を明確化し、なおかつ、簡潔で伝わりやすいメッセージを作る秘訣である。

自社の商品を簡潔に説明するのは、簡単に聞こえる。しかし、実際には、「商品を、ズバリ二〇秒以内で、説明してください」と頼むと、多くの会社は苦労する。

一度に多くのことを伝えようとするために、相手の興味をつかむ二〇秒の枠を超えてしまう。すると、相手は聞く耳を閉ざしてしまう。しかも、伝言ゲームで他人に伝えられるような簡潔な言葉になっていない。すると、その時点で、口コミプロセスが分断されてしまう。

自分の商品説明が、小学生にも分かりやすい、直感的に理解できるものになっているかチェックして欲しい。

口コミ伝染プロセス　第六の鍵
記憶に粘りつくツール

二人とのディスカッションは、次第に熱を帯びてきた。だんだんと質問が多くなってくる。

「神田さん、それでは、工藤さんが『これ、いいのよ。塩素を取り除いて、おいしいミネラルウォーターを作るのよ』と言っていたと仮定しますよね」

「うん、現実的には、『塩素の水を飲んでいると、ガンになるのよ』と言っているかもしれないけどね。でも毎回、意識せずに使っている簡潔な言葉があると思うんですよね。その言葉が一体、何なのか？　これが鍵です」

「確かに、神田さんの言うことは分かるんだけど、それだけでいいのかなぁ？　工藤さんはいいかもしれないけど、工藤さん以外の人は、どうすればいいんだろう？」

「いい質問ですね。トップ紹介マンの工藤さんのやり方が分かったら、今度はほかのお客さんが、同じ方法で口コミができるように、教えてあげなくちゃいけない。お客さんに、『紹介してください』とどんなに頼み込んだって、普通は紹介できないでしょう？　これは、営業マンに「なんでもいいから売ってこい！」と指示するのと同じです。お願いの内容が、難しすぎるんですよ。だから、お客に紹介してもらうためには、トップ紹介マンがどんなことをやっているか、具体的に教えなくちゃならない。それも、小学生でもできるぐらい、簡単な方法を教えるわけです」

「すると『こういう状況で、こういう言葉でお友達に紹介してね』という紹介のモデルケースを用意するのですか？　ある意味で、演劇のシナリオを渡すような話ですね」

「ああ、それ、面白い考え方ですね。まぁ、演劇というより、寸劇かな？　本当に簡単なシナリオを渡してあげるだけで、紹介好きの人は、協力しやすくなる」

シナリオというのは、決して難しい話ではない。この例で言えば、お客に次のことをお願いするだけだ。

①あなたの健康のために、外食する際には必ず『サンゴの力』を飲料水に入れてね。
②お友達から「それ何?」って聞かれたら「水道水から塩素を取り除いて、おいしいミネラルウォーターにするのよ」と教えてあげてね。

これだけの話。

話のきっかけをつかむ、この単純な作業を、具体的に描写してあげる。するとお客は、紹介する場面をイメージできる。イメージのできる行動は、実行に移しやすい。


二人は、また浮かない顔になった。

「でもなぁ、どうもまだ分からないなぁ」

「どの辺が、気持ち悪いですか?」

「これで口コミが伝わっていくということは、分かったんですけど、これで売上があがるのかと……」

「いいところを突きましたね。話題にしてもらうまでは分かりましたよね？　あとは、この話題を売上につなげられるためのツールを用意すればいいんですよ」

「そのツールっていうのは、何なんです？」

風邪を伝染す際には、ウィルスを持ち帰ってもらわなければならない。同様に、口コミを売上につなげていくには、ウィルスを持ち帰ってもらう必要がある。つまり、話題に出たからには、その話題が記憶にこびり付くようなツールを用意する。例えば、携帯可能なサンプル、財布にしまえるカードや、しおりである。そして必要になったときに、友達が、真っ先にあなたの会社に電話をするようにしておく。

そこで、あなたが口コミを起こすために、答えなくちゃならない、六つめの大事な質問は……

KEY　話題になった商品を売上に繋げるためには、どのようなツールを作ればいいか？

この会社の場合、『サンゴの力』とその説明書、注文書が入った紹介キットを作った。これを友達に渡してもらうようにする。サンプルを配れない会社の場合は、お友達ご優待クーポン券を渡してもらってもいい。

ツールが重要なのは、なぜか？

営業マンにカタログを持たせないで、営業させることを想像して欲しい。何も営業ツールを持たずに、営業するのは至難の技だ。同様に、紹介マンも手ぶらでは、友達にも話ができない。営業マンに、営業しやすくなるようにツールを渡すのと同じように、紹介マンにも、紹介しやすくなるツールを渡してあげよう。

ハンドバッグに入る大きさの
紹介ツール

具体的なツールについては次章で詳しく説明するので、もうちょっと辛抱してもらいたいが、この紹介キットを、一五〇人の紹介マンに途切れることなく供給するのである。

いままでの伝染プロセスをまとめると次のとおりである。

■口コミが伝染していくためには、伝染力のある人が必要である。それは一人ひとりのお客が、少人数を紹介していくパターンではなく、一部の強力な紹介マンが、大量の人に向かって情報を発信するというパターンをとる。

■一五〇人を目安として、口コミ活動の中核となる紹介マンを選出する。その選抜基準は、①過去に紹介をしてくれた人、②紹介されて、お客になった人、③オピニオンリーダー、キーマンとなる。

■口コミの伝染プロセスを構築するために重要なことは、口コミが起こる、その一瞬を、詳細に描写することである。その結果、一体、誰が、どの商品を、どこで、どんなき

鍵となる質問　1
口コミを広げるためには、誰に鈴を付けたらいいのだろう

鍵となる質問　2
紹介されたお客は、
まずどの商品を購入するのか

鍵となる質問　3
お客は、どこの場所で、
自分の商品を話題にするか

鍵となる質問　4
トップ紹介マンは、どんなきっかけで、
その話題を出すか

鍵となる質問　5
トップ紹介マンは、どんな言葉を使って
説明しているのか

鍵となる質問　6
話題になった商品を売上につなげるには、
どのようなツールを作ればいいか

っかけで、どのように、しゃべっているか分かる。

■風邪に感染するのが、一瞬で起こるように、口コミが伝染するのも、ほんの一瞬。その一瞬をできるだけ多く再現することにより、あなたの会社にとっての、口コミ伝染プロセスが構築できることになる。

「なぜいままでやってこなかったのか」と思われるような、当たり前の方法であると思う。別に、コンサルタントを雇う必要もなければ、ＭＢＡを必要とする話でもない。パート社員でもできる話なのである。

なぜいままでできなかったのかといえば、「口コミが起こるその一瞬を描写する」という発想がなかったから。描写をするための、具体的な質問方法が分からなかったから。そして、その一瞬を再現する重要性に気付かなかったからである。

演習：あなたの会社で、どのように活用できるのか？

初めはイメージできなかったかもしれないが、鍵となる六つの質問の意図するところを分かっていただけたと思う。

六つの質問の目的は、実際に、口コミが起こる瞬間を、どれだけ深く掘り下げて、理解できるかにつきる。この理解が深ければ深いほど、口コミが起こる瞬間を再現できる可能性が高くなる。

さて、これをあなたの会社でも活用できるようになっていただくために、例題をやってみることにしよう。

まずは、白い紙を一枚用意してほしい。そして、その紙に、あなたの会社における、鍵となる六つの質問の答えを考えてみよう。

例えば、あなたの会社が、住宅を販売していると仮定しよう。質問の1番から順番に、答えを紙に書いてみてほしい。

鍵となる質問1
口コミを広げるためには、誰に鈴をつけたらいいのだろう？

この質問を言い換えれば、他の見込客を連れてくる、影響力のある人は誰だろうか、ということである。最終的には、一五〇人程度を核として、紹介活動を広げていくが、この段階では、一五〇人をリストアップする必要はない。一五〇人を挙げるのは、鍵となる六つの質問をすべて答え終えてからでいい。

まずはトップ紹介マンを思い浮かべてほしい。トップ紹介マンが思いあたらなければ、最近、紹介してくれた人は、誰だったか考えよう。その人の具体名を、紙に書いてみよう。

優先順位としては、まず、過去に紹介してくれた人。それから、紹介により購入してくれた人である。さらに、著名人や地域の有力者が、自社で施工した住宅に住んでいる場合は、リストに加える。

鍵となる質問2
紹介されたお客は、まず、どの商品を購入するのか？

この質問については、住宅販売会社の場合、商品点数が多いわけではないから、なかなか明確な答えが見つからないかもしれない。あえて質問に答えようとするならば、紹介されたお客が購入しやすい予算帯の商品を特定することもできるが、このように質問に対する答えが、分からなければ、分からないままにしておいて差し支えない。もやもやしたまま、かまわず次に進もう。

鍵となる質問3
お客は、どこの場所で、自分の商品を話題にするか？

「いろんな場合があって、分からないなあ……」というのが、あなたの答えではないだろうか？

こういう場合には、消去法で考えてみよう。まず絶対にありえない状況は何だろうか？　紹介者が――あたかも営業マンのように――同窓会の名簿に電話をかけまくって、わざわざ住宅を話題にしたとは思えない。会社の掲示板に、「私は住宅を建てました」と発表することも考えられない。

このように消去法で、絶対にありえない状況を挙げていくと、逆に、話題にされる状況が見やすくなる。例えば、会社の同僚とで飲みに行ったとき、親戚が集まったとき、主婦が近所話をしているとき、新築のお披露目パーティーを開催したとき等、いくつかの状況を思い浮かべることができるだろう。そのうち、最もありえそうな状況は、どれであろうか？　優先順位を付けてみて欲しい。

鍵となる質問4
トップ紹介マンは、どんなきっかけで、その話題を出すのか？

鍵となる質問3で、あなたの会社は、「会社の同僚と飲みにいったとき」という状況を優先順位に挙げたとしよう。その際、何がきっかけになって、話題になったのかということだが、これは、新築する当人は話したくてしょうがないはずだから、「俺、家建ててるんですよ」と自主的に言ったのかもしれない。しかし、住宅会社が話題に出たきっかけとしては、自宅のプラン図（パース）をたまたま持ち歩いていて、それを友人に見せたからかもしれない。

新築のお披露目パーティーを開催した場合はどうだろうか？　この場合は、初めから住宅が話題になることが前提となっている。そこで当然、「どこで建てたの？」という話題は出る。すると、より重要な問題は、お披露目パーティーを開くことになったきっかけは、何だったのかということである。

住宅会社のほうで、お披露目パーティーを後援したのかもしれない。招待状、会場設置等の段取りが済んでいれば、パーティーを開催する施主も多くなるだろう。

このように、話題にしやすくなるきっかけを、できるだけ多く想像してみる。

鍵となる質問5
トップ紹介マンは、どんな言葉を使って説明しているのか？

「この質問は難しいなあ」と思われたかもしれない。そこで一番いいのが、「○○さんは、私どもについて、どのようにおっしゃってましたか？」という魔法の質問をしてみることである。

お客の答えを聞いてみると、紹介者の言葉は、通常会社の側が思っている言葉と違うことが多い。例えば、住宅会社の側としては、紹介者は「構造がしっかりしていて、高気密・高断熱なんだよ」と説明しているんじゃないか、と考える。しかし、実際には、住宅の構造や品質とは、全く関係のない説明をしていることが多い。例えば、「いろんな住宅会社をかなり検討したんだけど、ここは設計師がしっかりしていて、わがままを聞いてくれるよ」という具合だ。

面倒くさがらずに、聞いてみよう。口コミが伝わる一瞬を把握するための、精度の高い情報が得られるだけでなく、なぜお客から選ばれているのか、自社の強みと弱みが分かる。

鍵となる質問6
話題になった商品を売上に繋げるためには、どのようなツールを作ればいいか？

この質問は、言い換えれば、話題になったときに、紹介者がどんなツールを用意すれば、友達の記憶に残りやすくなり、必要な時に連絡が取りやすくなるかということである。

例えば、質問の4では、会社の同僚と飲んでいる際に、紹介者が、自宅のパース（イラスト）を見せるという行動が考えられた。とすれば、自宅のイラストを、ハガキ大に縮小し、友人に配れるようにすればいい。そして、そのハガキには、さりげなく会社のホームページアドレスや連絡先を記載しておけばいい。

新築披露パーティーでは、どんなツールが考えられるだろうか？　ゲストに印象を強く残せるような印刷物を用意するならば、家ができるまでのアルバム「私の家・誕生物語」を作って、お土産として渡してあげることが考えられる。

さらに、施主が、知り合いに一斉に連絡をとるのは、「引越ししました」というハガキを出すときである。このハガキの郵送先は——類は友を呼ぶではないが——施主と同年収レベル、教育レベル。そして趣味嗜好も似通ってくるだろう。つまり、優良な見込客となる。

ならば住宅会社の側で、引越案内ハガキを印刷して、無料で進呈すればいい。ハガキには、新築された住宅をバックに、家族がにこにこしている写真を印刷する。そして、さりげなくホームページアドレスおよび連絡先を入れる。これが、口コミが伝染するためのウィルスがばら撒かれる瞬間である。

以上のように、鍵となる六つの質問を答えていくと、いろいろなヒントを得ながら、口コミが伝染するシステムを構築するための仮説を立てることができる。

すべての質問に明確な答えを出す必要はない。質問に答えながら、「う〜ん、よく分からないなぁ」「うちの業界じゃ、当てはまらないいんじゃないか」と思われるところもあるだろう。その場合は、分からないところは分からないまま飛ばして、次の質問に進もう。

質問1〜3で、パッとした答えが出なくても、質問4の答えを思いついたとたん、パズルがはまって、全ての質問に対して、アイディアが出てくることがある。そのような思考の相乗効果を狙っているので、分かるところから質問に答えていく。そして、分からないところには、もう一度戻って考えてみる。

＊一五〇の法則（一五七ページ）
一五〇の法則については、『ティッピング・ポイント』（マルコム・グラッドウエル著　飛鳥新社刊）第五章に詳しい。（神田）

＊アーロンチェア（一六五ページ）
米国ハーマンミラー社の商品名。パソコンで長時間仕事をする人用に開発された事務用椅子

第5章

口コミを伝染させ、売上アップも同時に実現する5ステップ・プログラム

社長と社員の反省会

「どうです、社長。考えてみれば、当たり前のことだったでしょう?」

「確かに、紹介する人は決まっていた。うちの会社でいえば、高橋さんはいつもお客さんを紹介してくれるからな」

「いままでは、紹介してくれる人数を増やそうとしましたよね。それよりは、紹介する性質の人が、紹介しやすいしくみを作ってあげたほうが、効率がいいはずなんです」

「紹介する性質の人の代表が、うちにとっては高橋さんだったんだ。それじゃ、高橋さんがどのように紹介しているか? その方法を、ほかのお客さんにも教えてあげればよかったんだな」

「そうです。トップ紹介マンが、紹介活動をしている瞬間を、具体的に描写してみればいいんです。その瞬間が詳しく分かれば分かるほど、再現しやすくなりますからね」

「しかし、どうやってその瞬間が分かるんだ？」

「そんな難しいことじゃないと思うんです。まずは、どんな感じで紹介しているのかなぁ、と想像してみます。これを仮説として、その後、検証してみます」

「検証って、どうやるんだ？」

「実際に紹介者があったときに、聞いてみますよ。『高橋さんは、私どものことをどのようにおっしゃっていましたか？』って」

「そうか、その単純な質問をすればいいんだった。しかし皮肉なもんだな。この質問をしなかったばかりに、うちはずっと口コミの広げ方が分からなかったわけか？」

「口コミが起こっていたことは確かでしたけど、訳がわからないまま起こるだけでしたからね。これからは、もう少し積極的な手が打てるようになります」

「チラシの反応が悪いんだから、お客がお客を連れてくるという潜在力は最大限に活用しないとな……」

「そこで、社長。ひとつお願いが……」

「なんだ?」

「口コミは、社外で起こるんではなく、社内で始まると、この本に書いてあったでしょう」

「うん。でも、どうすれば社内で口コミが起こるんだ?」

「そこで、うちの会社を、社員からもお客からも話題にされるように変えたいんですけど……」

「うちの会社を、話題にされるように変える? あのな、会社を変えるっていうのは難しいんだぞ」

「ええ。実は売上をアップしながら、口コミを伝染させるというプログラムが、この本に書いてあるんですよ」

「そんな都合のいいことがあるはずないじゃないか!」

「確かに、都合が良すぎますよ。でも、仕事が楽しくなりそうなんですよ。いままでの売上アップ法というのは、お客の購買パターンを分析したり、年間販促スケジュールを作ったり、なんか難しかったでしょう？　でも、この方法は、遊び感覚で、楽しみながらできそうなんです。話し半分としても、やってみる価値はあると思って……」

「時間がかかって、面倒くさいんじゃないか？」

「そりゃ私だって面倒なことはしたくないですよ、ただ、いままでのやり方をちょっとひねるだけでいいとしたら、やらないと損だと思いませんか？　社長」


あなたが忙しいことは分かっている。

「これは素晴らしい」と思う方法でも、時間がかかるものでは実践できない。効果がはっきりとしない方法は続かない。さらに根性や苦しみを伴うようであれば、誰もやってくれない。

そこで、忙しい会社が限られた時間のなかで実践でき、しかも売上アップという目に見える効果が期待できる口コミ伝染プログラムを、ステップ・バイ・ステップで紹介しよう。

この五つのステップは、優先順位を着けて紹介している。まず踏んでいただくステップが、次のステップにつながるように設計されている。特にはじめのステップは、即、実践でき、しかも楽しい方法なので、ぜひ試してみて欲しい。

ステップ❶

お客様の声を集める

あなたの会社にまず取り組んでいただきたいのが、「お客様の声」を集めることである。お客の声が、口コミを起こす上で、極めて重要なことは、第二章でご覧いただいた。お客の喜びの声が、社員に届く。すると、社員は感激する。

そして「お客さん、こんな手紙くれたのよ」と社員がお客の話をするようになる。あなたの会社では、社員がお客の話で盛り上がることがあるだろうか？　ないようであれば、お客が、あなたの会社を話題にすることも少ないと思って間違いないだろう。

お客に無関心ということは、会社にとって致命的。私は、お客無関心症候群と呼んでいる。あなたの会社が、これに罹っているようであれば、「お客様の声」を集めることが、その病状を改善する特効薬となる。

「お客の声を集めるぐらいだったら、簡単。しかも楽しそうだ」

そう思って、あなたが始めたとしよう。

すると、そこに落とし穴が待っている。

こんな簡単なことでも、途中でめげる方が多い。なぜなら、やってみたが、思うように「お客様の声」が集まらない。そして「こんな方法、うまくいかない」と投げ出してしまうからだ。

「どのぐらいしか集まらないんですか？」と聞くと、「二〇人に一人ぐらいしか集まらない」と言って嘆く。そして、自分がお客から否定された気分になってしまう。

悲しくなる気持ちは分かる。しかし、ここで考えてみよう。

あなたが「お客様の声」を書くように、お願いされたとする。あなたは、わざわざボールペンを持って、貴重な時間を使うだろうか？　その会社にとても満足していたとしても、返事をするだろうか？「自分はしないな」という答えなら、お客に過度の期待をするのは、禁物だ。

実は、二〇人に一人でも、がっかりする必要はないのだ。

同じ反応率でも、次のような、異なる解釈をする人がいる。

「二〇人に一人の率で『お客様の声』が返ってきた。ならば三〇人の『お客様の声』を集めるには、六〇〇人に依頼すればいいわけだな。うちのお得意様は一〇〇〇人程度はいる。すると、一ヶ月程度で、三〇人ぐらい集められるな！」

起こる現象は同じなのだが、解釈の仕方が一八〇度異なる。


もちろん成功する人は、後者である。

新しいことを始める場合には、なんでもそうだが、とにかく初めが一番大変。「お客様の声」を集める場合も、初めは集まりにくい。しかし集まり出すと「自転車のかごの法則」にしたがって、集まる率が段々高くなっていく。

一ヶ月で三〇人の声が集まれば、その翌月は、それ以上の声が集まる。そのうち作業自体がルーティーン・ワークになるから、ほとんど努力なしに「お客様の声」が大量に集まる。

一年後を見ると、続けた会社とあきらめた会社の違いは明白。

一方は、何百もの「お客様の声」が集まっている。「お客様の声」を掲載すると、それだけでダイレクト・メールやチラシの反応が良くなる。だから、売上もアップする。

もう一方は、昨年の状況から何も変わっていない。景気が回復することだけを祈っている。

このように、成功する人と失敗する人の違いは、紙一重。

成功するのは、生みの苦しみをガマンできる人。失敗するのは、ガマンできない人。

その生みの苦しみといっても一年も二年も続くのではない。一～二ヶ月しかかからない。

つまり、その短い時間に集中できるかどうかで、大きく差が開いてしまう。

「お客様の声」を集め始めたばかりの人に共通する不安が、もうひとつある。

「『お客様の声』を返してくれるのだが、どうも感激しているように思えないんです」ということだ。

そのとおり。初めは、気のない返事が多い。

しかし「お客様の声」は、ポケモンのように進化するのである。

例えば、次ページの写真は、北九州市・門司の干物屋、「じじや」[↓]が集めたお客様の声

→「じじや」http://www.jijiya.com

お客様の声を
集め始めた当時

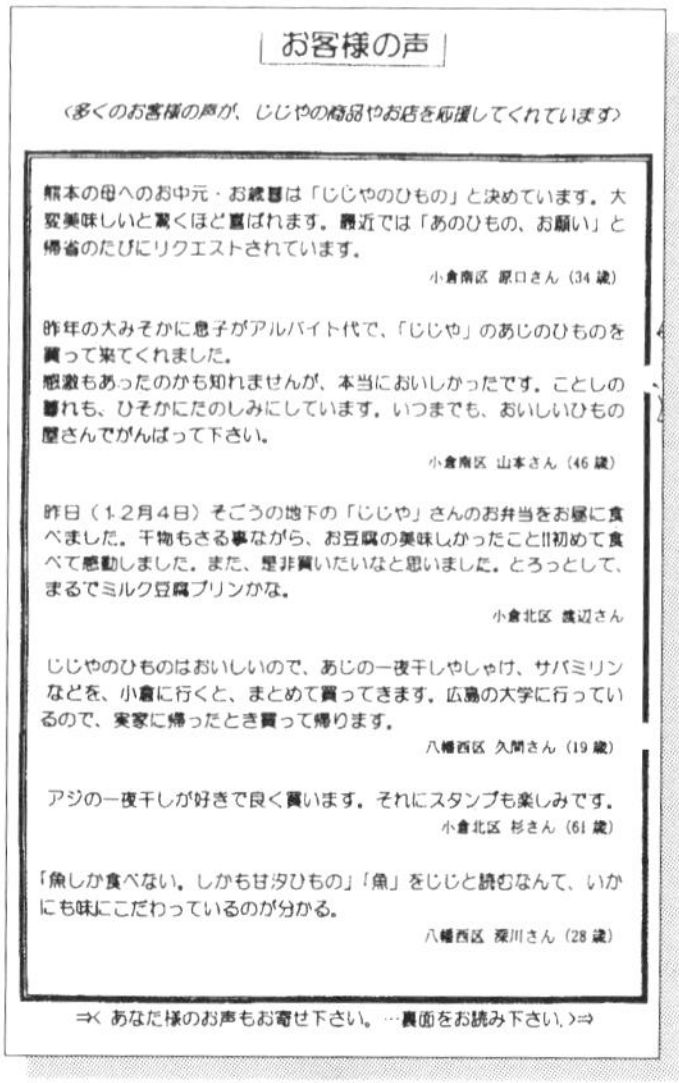

お客様の声

〈多くのお客様の声が、じじやの商品やお店を応援してくれています〉

熊本の母へのお中元・お歳暮は「じじやのひもの」と決めています。大変美味しいと驚くほど喜ばれます。最近では「あのひもの、お願い」と帰省のたびにリクエストされています。

小倉南区 原口さん（34歳）

昨年の大みそかに息子がアルバイト代で、「じじや」のあじのひものを買って来てくれました。
感激もあったのかも知れませんが、本当においしかったです。ことしの暮れも、ひそかにたのしみにしています。いつまでも、おいしいひもの屋さんでがんばって下さい。

小倉南区 山本さん（46歳）

昨日（12月4日）そごうの地下の「じじや」さんのお弁当をお昼に食べました。干物もさる事ながら、お豆腐の美味しかったこと!!初めて食べて感動しました。また、是非買いたいなと思いました。とろっとして、まるでミルク豆腐プリンかな。

小倉北区 渡辺さん

じじやのひものはおいしいので、あじの一夜干しやしゃけ、サバミリンなどを、小倉に行くと、まとめて買ってきます。広島の大学に行っているので、実家に帰ったとき買って帰ります。

八幡西区 久間さん（19歳）

アジの一夜干しが好きで良く買います。それにスタンプも楽しみです。

小倉北区 杉さん（61歳）

「魚しか食べない。しかも甘汐ひもの」「魚」をじじと読むなんて、いかにも味にこだわっているのが分かる。

八幡西区 深川さん（28歳）

⇒〈 あなた様のお声もお寄せ下さい。…裏面をお読み下さい。〉⇒

ごく真面目な感想

それが1ヶ月
たつと……

お客様の声

〈多くのお客様の声が、じじやの商品やお店を応援してくれています〉

⇒〈 あなた様のお声もお寄せ下さい。…裏面をお読み下さい。〉⇒

〝熱い声〟が
いっぱい！

である。上の写真が、集め始めの頃のもの。下の写真が、一ヶ月後の結果である。

ご覧のように、初めは気のない返事が寄せられる。なぜなら、お客は「真面目な感想を寄せなくちゃいけないんだろうなぁ」と思うからである。しかしそのうち、集まる「お客様の声」のなかに、プリクラを貼ったり、子供のイラストを書いて送ってくる例が、ポツポツと出てくる。お客に「ああ、こういうのを書いてもいいんだ」という許しが与えられる。すると、それを見た別のお客が、さらに熱い声を送ってくるようになる。

このように、お客の情熱が、別のお客に、次から次へと飛び火するようになる。

この段階に至るまでの期間は、約一ヶ月〜二ヶ月程度。長くても半年だろう。

その短期間を辛抱すれば、あなたの会社について、情熱的に語り出すファンが生まれ始めるのである。

社内で口コミを伝染させる演出

「お客様の声」が集まり始めたら、次の段階へ進む。

まずは、コルクボードを買ってくる。これは実に安い。数百円で買える。

このコルクボードを、お客、そして社員の目に届くところに掲げる。そして返ってきたお客様の声をペタペタと貼るのである。

それだけでいい。

これを数ヶ月続けると、かなり豪勢な感じになってくる。

例えば、次ページの写真は「株式会社ヤマモト」↓（和歌山県・田辺市）のロビー。このように壁中が、お客様の声で埋め尽くされている。

さらに「株式会社プロ・アクティブ」↓（東京都・武蔵野市）のトイレも見て欲しい。こんなところにも、お客様からの感激の声が進出している。

どうだろう？　こんな会社にいったら、あなたは、しゃべりたくならないだろうか？

→「株式会社ヤマモト」http://www.sumiclub.com
→「株式会社プロ・アクティブ」http://www.pro-active.co.jp

ロビー中にはりめぐらされるお客様の声（(株)ヤマモトのロビー）

トイレにまでお客様の声が……（(株) プロ・アクティブ）

聡明なあなただったら、もうお分かりだろう。

これだけの声が集まっているということは、あなたの会社を、お客が気に留め始めたということである。そして書くだけではなく、あなたの会社を話題にする。なぜなら、書くという作業は、言いたいことを明確化する。書いた内容は、記憶に粘りつく。つまり、お客様の声を書くという作業は、これから口コミを広げていく上での、最適な自主トレーニングとなっているわけだ。

このように「お客様の声」が集まり始めると、会社の内部ではどのような効果があるのか？

ここが面白いところだ。実は、壁に「お客様の声」を貼るという同じ作業をしても、その効果は、会社によって大きく異なる。

「こんな凄い『お客様の声』が来ました。もう、嬉しいですね！」と社員が涙を流す会社もあれば、請求書と同じように淡々と処理する会社もあるのだ。

口コミが起こる会社は、当然、前者になる。

一体、なぜこのような違いが起こるのか？

もちろん社内の雰囲気ということもあるが、実は、社員がしゃべりだす会社は、無意識的にではあるが、実に巧妙な演出をしていることが多い。

涙を流す会社というのは、初めの「お客様の声」が返ってきたときに、演技をするぐらいに大げさに喜んでいる。

社長が「うわぁ～、やっと返ってきたぁ！　やっぱり嬉しいなぁ。この仕事やってて良かったなぁ……」と、喜びの声を上げる。

そこであなたの会社でも、社員が乗ってきそうもないなら、初めのうちは意識して、簡単な演出をするといい。

例えば、特定の社員を誉める「お客様の声」が届いたとする。その場合には、誉められた社員の名前にアンダーラインを引く。そして壁に貼るときに、「○○さんがお客さんから感激の言葉をいただいたよ！　凄いよね、みんな拍手！　パチパチパチパチ」と満面に笑みを浮かべて発表する。

言っておくが、拍手のあるなしは、大違いになる。

この拍手の音が、「嬉しい」「楽しい」という感情の引き金を引く。

「素晴らしい」と言いながら、パチパチパチと手を叩く。この動作は――笑いながら悲しい感情を持ち続けられないのと同様――むっつりとした顔ではできない。自然と笑顔になる。声にも張りが出てくる。

ここは騙されたと思って、みんな笑顔で、手を叩いて「素晴らしい」と大きな声で言ってみて欲しい。

すると一瞬で、場の雰囲気が変わる。

魔法の呪文だよ。

こんなちょっとした仕掛けで、社員がしゃべり出す。

「お客様の声」を集め始めた当初に、こうした演出をする。楽しいことをやっているんだよ、というメッセージを社員に送る。このタイミングを逸した後で、急に「素晴らしい！」とやっても、誰も乗ってこなくなるので注意しよう。

「お客様の声」のなかには、もちろん誉め言葉だけではなく、クレームもあるだろう。クレームには、どう対処したらいいだろうか？

喜びの声を貼る壁が、喜びの壁とするならば、クレームを貼る壁は、悲しみの壁である。

悲しみの壁は、お客から見えるところにあってはいけない。

なぜなら、クレームを見たお客は、「ひょっとして自分も被害にあったのでは」と、いらぬ心配をする。その結果、再びクレームが起こる。自転車のかごの法則が働き、クレームが増えることとなる。二〇〇〇年に、ある会社で食品への異物混入がマスコミに取り上げられたとたん、日本全国で同様のクレームが急増したのと同様である。

悲しみの壁に貼られたクレームのうち、解決できたものは、コメントをつけて、喜びの壁に移す。喜びの声ばかりだと、信頼性に欠けることになるが、このように解決されたクレームも公表することにより、誠実な会社であるという印象をお客に伝えることができる。

以上のように、「お客様の声」というのは、何も難しいところがない。その質と量を見ることによって、いままで計測不可能だった口コミの浸透を測ることができるようになる。しかも、社員のモチベーションが上がる、チラシやダイレクトメールに掲載すれば反応率が伸びる。このように一石二鳥どころか、何鳥にも活用する万能薬だ。

開始するのに、お金は必要ない。

要は、新しい変化を求めて「はじめの一歩」を踏み出せるかどうかである。

ステップ❷

ニュースレターを発行する

「お客様の声」を壁に貼ることにより、社内から口コミが起こり始めるのだが、この口コミの伝染力は、壁という物理的な場所に制限されてしまって、飛び火しにくい。そこで、「お客様の声」を、社内だけでなく社外に発信するツールが必要になる。

このツールが、ニュースレターである。

ニュースレターを定期的に、お客に郵送する。もしくは、買い物袋に入れる。すると、社内から社外へ情報が発信され始める。これが話題になるための、最も手っ取り早い手段である。

もちろん話題になるだけではない。ニュースレターを発行した会社の典型的な感想は次のとおりだ。

「ずっと購買してくれなかったお客さんが、久しぶりに戻ってきてくれた！」

「注文数が多くなった！」

「営業するのが、楽になった！」

「紹介が多くなった！」

「『お客様の声』が多く寄せられるようになった！」

このように、正直のところ、あまりライバル会社には教えたくない、多大な効果がある。

「うわっ、情報誌を発行しなくちゃならないのか！　大変そうだなぁ」と思ったのではないだろうか？

面倒くさいなぁ、という気持ちはよく分かる。

ところが、ポイントを押さえておけば、ニュースレターを発行するのは、それほど難しいものではない。そこで、お客が話題にするという観点から、どのようなニュースレターを作ればいいのか？　そして、どうすれば短時間で、ラクに作れるのか？　そのポイントを三つ挙げてみよう。


一番目のポイントは、四色カラーでキレイに印刷しないということである。

ニュースレターとは、文字通り、近況（ニュース）を伝える手紙（レター）である。手紙であるから、カラーでキレイに印刷する必要はない。ところが多くの会社のニュースレターは、大企業の通信誌に似せて、キレイに印刷してしまう。

実は、これが失敗への第一歩なのだ。

あなたの自分自身の行動を振り返ってみても分かるように、きれいな雑誌風の企業ＰＲ誌は、まず読まないのである（特にハゲ親父の冒頭挨拶が載っているようなＰＲ誌は、そのまま捨てられる）。

大企業の場合は、見栄を張る必要があるので、通信誌も高級感を出すわけである。そして、誰にも噛みつかれないように、へりくだった丁重な文章を書く。差し障りのない内容で埋める。

このように丁重に扱われると、お客の方も、会社に対して丁重に接する。しかし、その会社に対して距離がある。感情的な結び付きを感じることはない。

ニュースレターを発行する目的が社長の自己満足のためなら、キレイで、丁重・真面目なものを作ればいい。しかし、お客にしゃべってもらうため、そしてお客との結び付きを

４色刷のキレイな
ニュースレター
↓

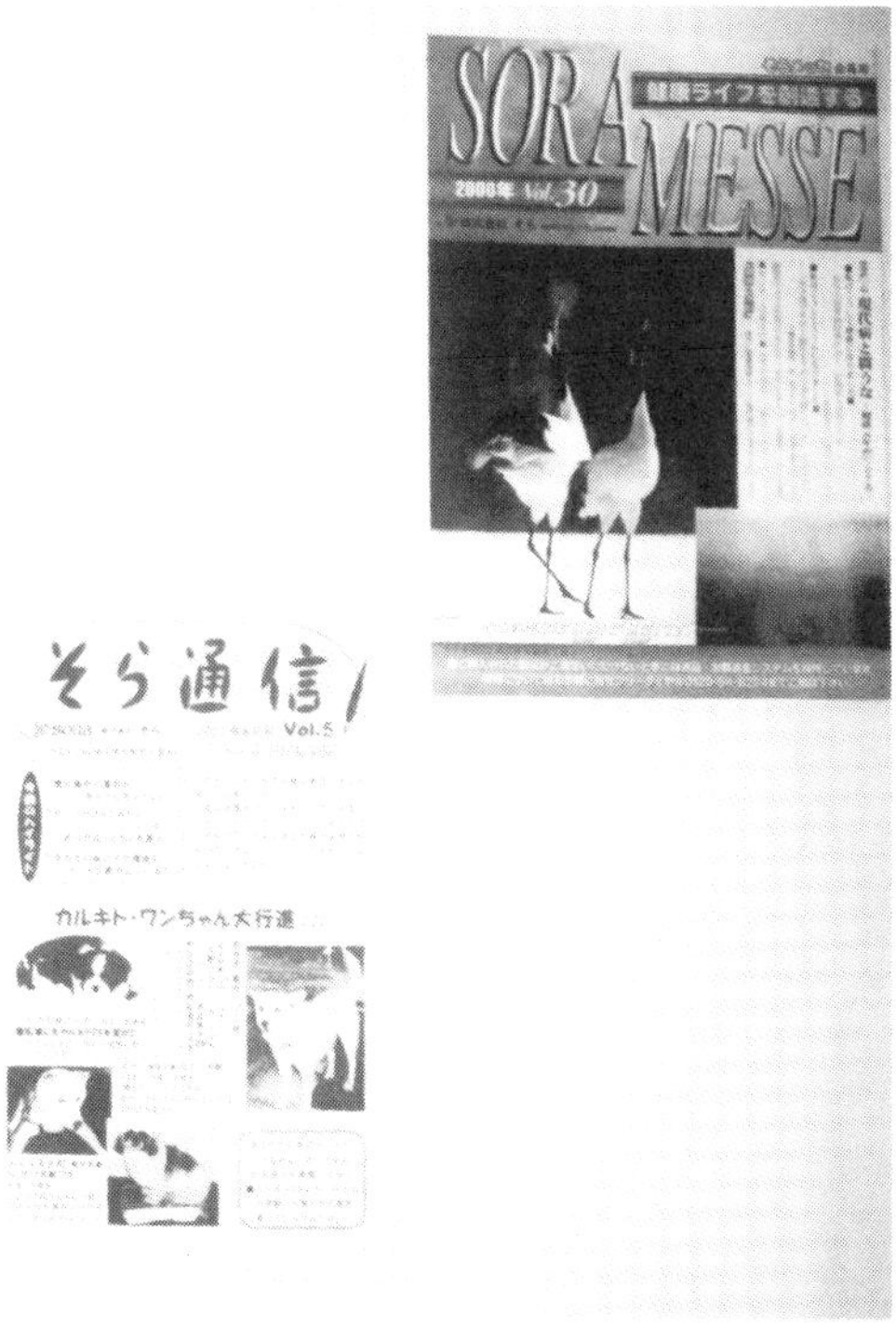

(株)そらのニュースレター

↑
ガリ版刷りの〝きたない〟ニュースレター

強め、他社への流出を防ぐためなら、丁重ではなく、親しみが湧くように作るほうがいい。そのためには、カラーである必要はない。印刷である必要もない。ページ数が多い必要もない。小学校の低学年のときに配られた文集みたいなもので十分なのである。

いままでの常識では、キレイな印刷物ほど効果的と思われているので、私の言っていることがどこまで本当なのかと思うだろう。

そこで比較して欲しいのだが、前ページの二誌のうち、どちらを先に読みたいと思われるだろうか？　前者は、四色カラーでキレイに印刷してある。後者はガリ版の世界である。

これを実験すると、読まれるほうは、圧倒的に後者となる。

二番目のポイントは、パーソナルな情報を入れるということである。具体的には、担当者が結婚した、子供が生まれた、旅行にいった、こんな大失敗をした等々。このような個人的な近況をお知らせする。

なぜ個人的な情報を発信するのか、といえば、パーソナルな情報を出せば出すほど、相手も身近に感じてしまうという法則があるからである。全く面識もないにも関わらず、そ

あっち向いてホイ

9月号だっよ〜ん！

合資会社 安城建築ニュースレター!!

こんにちは、杉浦あかねです。夏も終わりになりましたネ。今回から、文字はパソコンで書かせて（入力？）頂きます。読みにくいと言う苦情がありまして…ウルウル（涙）昨日もキチンと習字に行ったのに。

昨日ね、習字の先生の家に行ったら犬がいて（夜7時半頃）、その犬が「あつ〜い」ってだれながら、電源の入ってないクーラーの前に座る（倒れる？）の。先生が仕方ないなぁ〜って、冷房を付けるのですが、突然「グガー！！」って声（いびき）が聞こえるの。その声の大きさが凄いのヨ。もう、お相撲さんが出すいびきみたい（偏見かもしれないが）！！今度録音して、皆さんに聞かせてあげたいワ。

この「あっち向いてホイ」は申し訳ありませんが、発行日が決まっておりません。これだけはハッキリ申し上げますが、年に12回はあります。前回お伝えしましたが、月に1回の割合で編集していこうと思っています。が、他の郵便物と一緒にお送りしたいですから、それに合わせて編集していきます。

「お家を造る職人さん」

名前　永田　利男　生年月日S25・10・19
血液型　B型　趣味　これと言ってない
休日は？　お仕事（笑）ジッとして
いられなくて、部屋の模様替えとかしちゃんだ。
好きな食べ物　ラーメン、たこ焼き、焼きそば
（安城の「松楽」が行きつけの場所。若い頃は
良く行ったなぁ。）仕事内容　掃除、お茶くみ、
建築設計　仕事歴　22年
何でその仕事に就きましたか？
私の父が大工さん（棟梁）で、小さい頃から父を
見て育ち、よく木を触ったり、カンナで削ったり…
家造りを見て、建築に興味を持って、でも大工はイヤだったので。
皆さんに一言
うーん。家造りに一言いいたい。自分の夢を実現させるんです。家は一生に一度の買い物です。家は、小さい子供が育つ場所であり、時が経てばお爺さん、お婆さんになっても住む場所です。人生の長い間過ごす、重要な舞台造りだから、雑誌や本などで、住宅についての知識を得て欲しい！それだけです。

私が見た「永田　利男」さん
杉浦「うーん、サンタさんかな？　あ〜いう家が良いって言うと、望み通りの家の図面を書いてくれる。顔の雰囲気が、チャゲ＆飛鳥の飛鳥さんに似ている！！」
高松「家造りの基本は設計ですね。私は図面が書けないので、プランは永田さんに頼りきり。もう永田さんなしでは生きていけないこの頃です（変な関係ではありません。念の為…）」
浅井「私はいつも一級建築士をコテンパンに言っていましたが、この人は違います。とても謙虚な方です。今まで何度も失礼な事を言ってしまいゴメンなさい…」

（資）安城建築のニュースレター

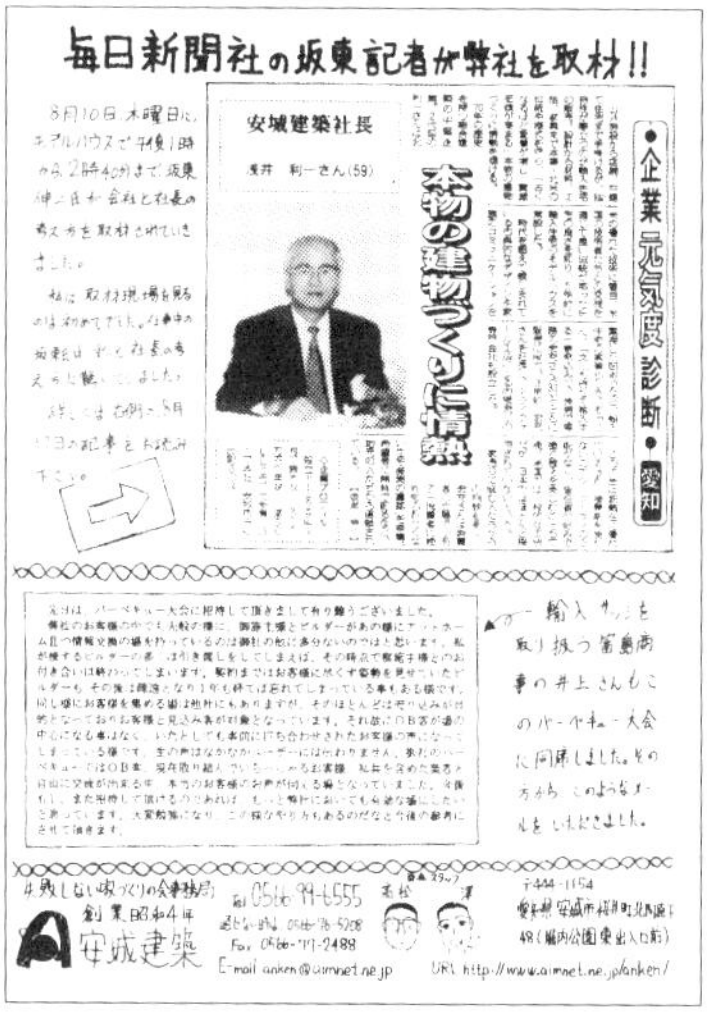

毎日新聞社の坂東記者が弊社を取材!!

8月10日（木曜日）に、モデルハウスで午後1時から、2時40分まで、坂東記者が会社と社長の考え方を取材されていきました。

私は、取材現場を見るのは初めてでした。仕事中の坂東記者と社長の考え方に驚いていました。

詳しくは右側の8月17日の記事をお読み下さい。

安城建築社長

浅井　利一さん（59）

本物の建物づくりに情熱

●企業元気度診断●

愛知

輸入サッシを取り扱う富島商事の井上さんもこのバーベキュー大会に同席しました。その方から、このようなお礼をいただきました。

失敗しない家づくりの全事務局
創業昭和4年
安城建築

Tel 0566-99-6555
Fax 0566-77-2488
E-mail anken@aimnet.ne.jp

〒444-1154
愛知県安城市桜井町北町浦
48（堀内公園東出入口前）
URL http://www.aimnet.ne.jp/anken/

パーソナルな情報を
ニュースレターに
入れていく

→「合資会社安城建築」http://www.aimnet.ne.jp/anken/

の人の身の上話を聞いたとたんに、なぜか以前から知っているような錯覚に陥る。

実は、私は昨日、新幹線のなかで歌手の浜崎あゆみに出くわしたのであるが、相手はもちろん、私のことを知らない。しかし、たまたま私は「週刊文春」の「阿川佐和子のこの人に会いたい」というインタビュー記事で、彼女のデビューまでのいきさつを知っていたので、どうも知り合いのような気がして仕方がなかった。

このように、相手の情報を知っていると、自然に親しみを感じてしまう。

もちろん、浜崎あゆみならともかく、誰が俺の私生活を知りたいのだろうか、という疑問を持つと思う。

おっしゃるとおりで、あなたのことを知りたいと、誰も積極的に思っているわけではない。しかし「あぁ、この人子供が生まれたのかぁ」とか「この人、私と同じ失敗してるじゃない」となったときに、お客はあなたに親近感を感じてくれる。

その結果、価格ではないところでの、購買決定がなされるようになり、お客の流出も止まっていくことになる。ライバル会社の、のっぺらぼうの営業マンと比べれば、格段に有利となる。

三番目のポイントは、お客のコミュニティを作るということである。

言い換えれば、「この会社には、私の場所がある」と、お客に思ってもらえればシメタものだ。例えば、第三章で紹介した「格闘技好きのための理容店」には、コミュニティがある。コミュニティに属すると、居心地が良くなるので、他の会社から売り込みが来ても、簡単には靡《なび》かなくなる。

具体的に、どうすればコミュニティができるのか？

つかみどころがないように感じるが、決して難しいことではない。お客の情報を、ニュースレターを通して発信するだけでいい。

まず「お客様の声」を、ニュースレターに掲載する。

ここでもう一度、ステップ１で集めた「お客様の声」が、そっくりそのまま使えることになる。実に、一粒で二度ならず三度もおいしいという「お客様の声」の活用法である。

この最大の利点は、ニュースレターを書く仕事を、お客がやってくれるということだ。ニュースレターの紙面を自分で全部書くのは、時間がかかる。しかし、お客様の声を紹介するだけなら、切り貼りするだけだから、さほど時間もかからない。

「お客様の声」を紹介するとともに、ニュースレターで次のことをやるといい。

■ **お客の誕生日を祝ってあげる。**

■ **新規のお客を、歓迎してあげる。**

■ **新規のお客を紹介してくれた人に感謝をする。**

このように「お客様あってのわが社」であることを強調する。標語として、お客様第一、という会社は多いが、実は、標語を壁に貼るだけで何もやっていない。壁に標語を貼るぐらいであれば、ニュースレターで、お客に感謝しよう。

もちろん、お客をニュースレターに掲載することで、コミュニティがあることを伝えられる。と同時に、実は、新規客を紹介するのが当たり前という雰囲気を作っているのだ。すると、アンテナが張られているから、あなたの商品を必要とする人が出てきたときに、紹介しやすい。また紹介キャンペーンを企画した際にも、「みんながやっているのだから……」とお客は協力しやすくなってくる。

さらにあなたが「いい商品なのだがなかなか売れない」という商品を持っていたとしよう。いい商品だが、売れないというのは、説得を要する商品であることが多い。そこで、

お客様を主役にすることで、コミュニティを作ってあげる

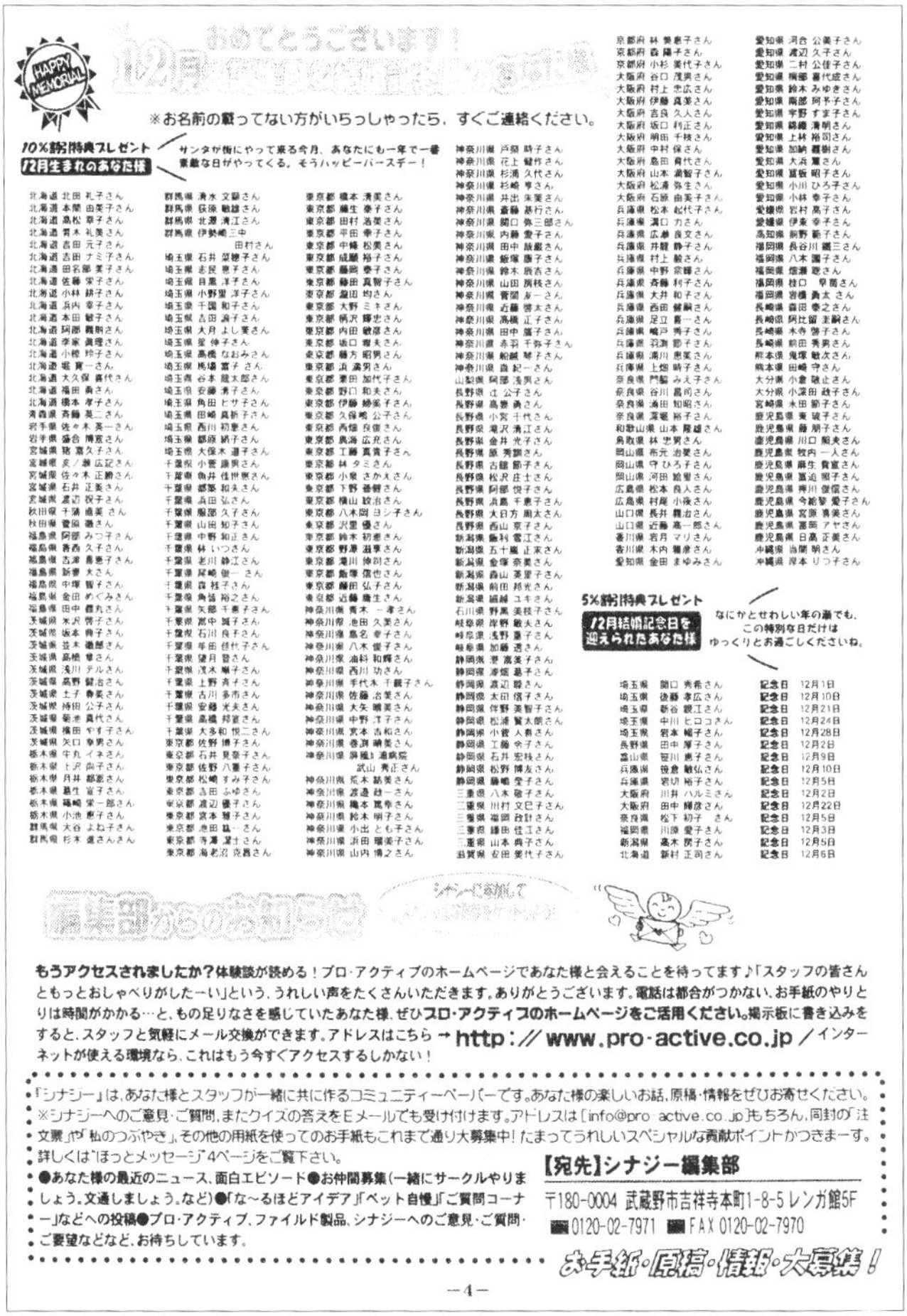
HAPPY MEMORIAL

※お名前の載ってない方がいらっしゃったら、すぐご連絡ください。

10%割引特典プレゼント
12月生まれのあなた様

サンタが街にやって来る今月、あなたにも一年で一番素敵な日がやってくる。そうハッピーバースデー！

5%割引特典プレゼント
12月結婚記念日を迎えられたあなた様

なにかとせわしい年の瀬でも、この特別な日だけはゆっくりとお過ごしくださいね。

もうアクセスされましたか？体験談が読める！プロ・アクティブのホームページであなた様と会えることを待ってます♪「スタッフの皆さんともっとおしゃべりがしたーい」という、うれしい声をたくさんいただきます。ありがとうございます。電話は都合がつかない、お手紙のやりとりは時間がかかる…と、もの足りなさを感じていたあなた様、ぜひプロ・アクティブのホームページをご活用ください。掲示板に書き込みをすると、スタッフと気軽にメール交換ができます。アドレスはこちら → http://www.pro-active.co.jp/インターネットが使える環境なら、これはもう今すぐアクセスするしかない！

『シナジー』は、あなた様とスタッフが一緒に共に作るコミュニティーペーパーです。あなた様の楽しいお話、原稿・情報をぜひお寄せください。※シナジーへのご意見・ご質問、またクイズの答えをEメールでも受け付けます。アドレスは［info@pro-active.co.jp］もちろん、同封の「注文票」や「私のつぶやき」その他の用紙を使ってのお手紙もこれまで通り大募集中！たまってうれしいスペシャルな貢献ポイントがつきまーす。詳しくは"ほっとメッセージ"4ページをご覧下さい。

●あなた様の最近のニュース、面白エピソード●お仲間募集（一緒にサークルやりましょう。文通しましょう。など）●「な～るほどアイデア」「ペット自慢」「ご質問コーナー」などへの投稿●プロ・アクティブ、ファイルド製品、シナジーへのご意見・ご質問・ご要望などなど、お待ちしています。

【宛先】シナジー編集部
〒180-0004 武蔵野市吉祥寺本町1-8-5 レンガ館5F
0120-02-7971　FAX 0120-02-7970

お手紙・原稿・情報・大募集！

－4－

(株)プロ・アクティブのニュースレター

その商品を使って感激した「お客様の声」を、ニュースレターに掲載する。一回だけでなく、連続で何回か掲載する。すると、不思議不思議。情報が多くなるので、お客はその商品を欲しくなってくるのである。これは、初めは「変な唄だな」と思っても、何回も聞いているうちにいい唄に思えてくるのと同じメカニズムだ。

このように、ニュースレターを通して、お客を——言葉が悪いがご了承願いたい——自社の都合のいいように教育することができるのである。

繰り返すが、ニュースレターは、大変、強力なツール。

確かに、他のすべての新しい試みと同じように、初めは「俺ができるのかな?」「ネタ切れにならないかな?」と不安になる。しかし、これは産みの苦しみ。そのうちに、お客から「ニュースレター、毎回楽しみにしてんだよ」といわれると、今度は、快感に変わる。

これからの時代、情報だけが付加価値になる。商品だけを売っていたら、確実に、毎年、利益は少なくなっていくことは、あなたも痛切に感じていることと思う。

「明日は、どうしよう」と不安に、毎晩眠れない夜を過ごすのか?

それとも、自分から情報を発信して、お客にとって居心地のいい会社になっていくのか？　もし後者を選ぶのなら、ニュースレターは、あなたにとって、最小限のエネルギーで、多大な恩恵をもたらすツールである。

ステップ❸
携帯できる伝染ツールを作る

お客様の声を集め、そして、ニュースレターを発行する。

ここまでやって一〜二ヶ月経つと、仕事が楽しくなってくるはずだ。なぜなら、お客からの喜びの声が聞こえてくるからである。

ここまでは、あなたの既存客にしゃべりたくさせるという仕掛けである。積極的に情報を発信し、そしてコミュニティをつくることによって、お客とあなたとの感情的な結び付きを深めることを意図している。

さて、お客がしゃべるようになった段階で、必要なのは、お客が友達に渡すことができるツールである。お客が友達にしゃべっただけでは、友達は、すぐに忘れてしまう。二一世紀のお客はとにかく忙しい。忘却するスピードも、光速である。

そこで、記憶に粘りつく、伝染性の高い印刷されたツールを持つ必要がある。

一体、どんなツールを用意すればいいのだろうか？

誰にでも簡単にできる、そのツールを三つ紹介しよう。


まず、一番簡単な方法として、ニュースレターを配ってもらう。例えば、紹介キャンペーンの際に、ニュースレターを一部余計に入れる。この余分のニュースレターを友達に渡していただくのである。もうすでに、ニュースレターは作ってあるのだから、スグできる。

ニュースレターを友達に渡してもらうには、どうすればいいか？

紹介キャンペーンというと、通常、「お友達を紹介してください！」とやりたくなる。しかし、これは間違い。そうではなく、「あなたのまわりで、一番○○に困っている方に、お渡しください」と依頼する。○○の部分は、あなたの会社が解決しようと思っている問題である。このように、お客の行動が、友達に役立つことを強調するほうが効果的だ。

ニュースレターを発行し始めると、毎回のニュースレターの最終ページで、紹介を依頼することができる。これが二番目に簡単な方法だ。

▶先月はじめてご注文いただいた方々　≈これからもよろしくお願いいたします!!≈

千葉県／渡辺さま、江黒さま、小関さま、秋林さま、須田さま、羽田さま、白井さま、吉川さま、楫山さま、高橋さま、市原印刷(有)さま、豊村さま、高橋さま、新川さま、灘原さま、鈴木さま、竹村さま、後藤さま、高梨さま、高岡さま、林さま、上遠野さま、渡辺さま、松永さま
東京都／高橋さま、美容室あるふぁさま、鈴木さま、中村さま、八木さま、竹田さま、遠藤さま、(株)マグマ・エイジェンシーさま、板倉さま、武居さま、永田さま、宮崎さま、山崎さま、名雲さま、小瀬村さま　**埼玉県**／小林さま、藤原さま、田代さま、蛸島さま、山崎さま
神奈川県／片岡さま、高梨さま、関本さま　**茨城県**／鈴木さま、宮角さま、藤田さま、新保さま、渡辺さま　**栃木県**／木下さま　**新潟県**／佐藤さま、根来さま　**宮城県**／西井さま
福島県／山寺さま　**香川県**／柴垣さま　**大分県**／佐藤さま　**佐賀県**／山田さま　**長崎県**／森さま、中川さま、小柳さま　**福岡県**／諌山さま、古賀さま、久保田さま　**熊本県**／規工川さま

◆先月ブロンズ会員になられた方々
千葉県／長妻さま、遠藤さま、宮田さま、増田さま、神さま
神奈川県／花嶋さま　**長崎県**／森さま

◆先月ゴールド会員になられた方々
千葉県／米倉さま　**兵庫県**／山口さま
埼玉県／佐竹さま、新藤さま

(お得な)　そらの割引・プレゼントシステム
商品ご注文時に、お荷物の中に**カスタマーズポイントシール**が入っています。このうち**緑色のシール**を集めると、**ブロンズ会員**や**ゴールド会員**になり割引で購入することができます。**赤色のシール**を集めるとお好きな商品と交換できます。

「塩素を飲んでいるお友達にサンゴの力を教えてあげましょう！」

♥先月、お知り合いに「サンゴの力」を教えてくださった方々
千葉県／石田さま、峰さま、石井さま、斉藤さま、長嶋さま、江黒さま、大川さま、大久保さま、須田さま、林さま、小出さま、三澤さま、森さま　**埼玉県**／仲野さま、黒川さま、五十嵐さま、倉地さま、名古屋さま　**東京都**／石田さま、新倉さま、炭川さま、石野さま、古舘さま、冨田さま、大野さま　**神奈川県**／山崎さま　**茨城県**／岩本さま、中村さま
新潟県／伊藤さま　**香川県**／本桑さま　**福岡県**／浦さま

健康4つの原則の第1歩!!　10日間の無料体験が「トライアル」です

♠トライアルを体験なさった方々
東京都／橋本さま　**千葉県**／渡辺さま、初芝さま、土屋さま、吉川さま、石川さま、小林さま、豊崎さま、新川さま、灘原さま、高梨さま、長島さま、上遠野さま、石渡さま、服部さま、松永さま　**埼玉県**／丸さま、荒井さま、本蔵さま　**茨城県**／鈴木さま、藤田さま、新保さま　**宮城県**／五十嵐さま　**福岡県**／古賀さま　**熊本県**／高松さま

あなた様はもうトライアルを体験されましたか？　ご愛用者の4割のかたは、すでにトライアルをされました。
お気軽にお電話でお申し込みを！
フリーダイヤル：0120－153767まで

トライアルセット（無料）
※サンゴの力・カルキトDX・カルスティックが10日分のセットになっています

－11－

(株)そらのニュースレター

この紹介依頼コラムは毎回使える

具体例（前ページ）を見て欲しい。

一度、このようなコラムを作ってしまえば、あとは、毎回印刷するだけ。ポイントは、紹介する性質のお客に、紹介を依頼しているということを、常に、頭の隅に留めていただくことである.

三番目に作って欲しいのが、携帯可能なサンプルや紹介カード、しおりである。持って歩ける大きさ——すなわち、財布やバッグに入る大きさ——のツールを作って欲しいのだ。普段は意識しないが、常に持ち歩けるところが伝染するポイントだ。でかいカタログを渡して、紹介をお願いするのは「看板を持って歩いてください」というようなものので、協力するお客は少ない。財布に入るぐらいの大きさが手ごろなのである。

例を挙げよう。

次ページは健康茶を販売している「アロハージャパン株式会社」（大阪府・大阪市）が使っている紹介カードだ。

この会社は、タヒボという特許取得の健康茶が商品である。そのお茶の愛飲者の半数以

名刺大の紹介カードを配布する

お財布の中に入れておいて下さい

古代インカからの贈り物

南米樹木天然エキス「タヒボ」®

タヒボとは南米にて天然自生する樹木を原料とする食品です。

含有する抗ガン成分「NFD」は世界で初めて「抗ガン特許」を取得しました。

世界初の快挙です。

アメリカ特許　第566319号　「抗癌剤」癌の治療と予防
日本特許　第2669762号「発癌プロモーション阻害剤」

「病院での治療効果が出てない」「何をやっても治らない」「もっと元気になりたい」

そんな方がお近くにいらっしゃいましたら、このカードを差し上げて下さい。

あなた様の大切なご友人に"タヒボがあるよ"と教えてあげて欲しいのです。

私たちから心を込めて、症状に合った資料をお送りさせていただきます。

タヒボ発売元
アロハージャパン株式会社
0120-79-0095
FAX（24時間受付中）06-6267-0094
Eメール aloha-japan@mub.biglobe.ne.jp

お財布の中に入れておいて下さい

私たちがいただいたお客様の声（すべて実名です）

●**直腸ガン、胃ガン、前立腺ガンを克服した元気な76歳**／北海道富良野市　柿本亮策●**咽頭ガンが2ヶ月で治った**／石川県金沢市　上島定司（58歳）●**急性骨髄性白血病を克服し生還した**／三重県桑名市　永田賢司●**肺ガンのカゲが消えた**／千葉県柏市　高橋光夫（68歳）●**余命4ヶ月の肝臓ガンで腫瘍マーカーが正常値に**／兵庫県川西市　高橋健一（66歳）●**膀胱ガンを克服しテレビ出演することになった**／北海道苫小牧市　北守孝（51歳）●**悪性リンパ腫の再発から見事に生還できた**／岐阜県岐阜市　中洞安弘（63歳）●**リウマチのつらいこわばりが解消し関節も2度と痛まなくなった**／香川県綾南町　川田正子●**子宮筋腫が3ヶ月で消えた。紹介者も驚き**／東京都世田谷区　山本由美（50歳）●**子宮内膜炎が治り、ひどい肩こりも消えた**／長崎県佐世保市　川上順●**悩んでいた息子のアトピーが良くなった**／神奈川県横浜市　佐川世津子●**420あった血糖値が145に下がり糖尿病克服**／兵庫県西宮市　今井則夫●**C型肝炎で飲み始め、今では肝機能も正常値に**／宮城県古川市　佐々木賓●**悪性リンパ腫から「奇跡の生還」**／宮城県黒川郡　畑中秀雄（45歳）

著書「ガンを治す特許」初公開より

※ご紹介者のお名前をお書き下さい＿＿＿＿＿＿＿＿

「アロハージャパン（株）」の紹介カード

上ががんの患者だ。実際、素晴らしいお茶で、私も愛飲しているのだが、いい商品というだけでは、なかなか紹介しにくい。この手の商品は、どんなに素晴らしい効果効能があっても、それを伝えれば伝えるほど、胡散くさくなるからだ。

そこで、このような名刺大のカードを配っている。

これを私は、裏書式の紹介カードと呼んでいる。紹介者が、名前を書く欄がある。紹介者の裏書がないと、使えない。小切手のような仕組みだ。

紹介のパターンとして、一番、考えられるのは、喫茶店でおしゃべりをしながら、健康の話題が出たときに、友達にこのカードを渡すということである。紹介者は「こういう健康茶があるわよ」と説明してから友達に渡す。つまり、お客がセールスをやってくれることになる。この裏書式のメリットは、誰が紹介してくれたか、簡単にチェックできることである。

紹介してくれた人には、すぐお礼を差し上げるようにしよう。お礼というのは、金銭的価値のあるものというよりは、ちょっとした心遣い程度のほうがいい。例えば、自社商品を割引で購入できる商品クーポン券や、手書きのカードを差し上げることが多い。

お礼と同時に、紹介者には、紹介カードを、何枚か余計に渡すようにする。なぜなら、一度、紹介をしてくれた人は、二度三度と紹介してくれる傾向が高いからである。

このように伝言ゲームを正確に行っていくためには、その際に、渡せる簡単なツールが必要だ。ポイントは、携帯できるかどうか？　そして、配りやすいかどうか？

このツールを、伝染力のある人に大量に配る。

一度作ってしまえば、あとは、お客が伝道してくれる。

ステップ❹
小冊子を作る

あなたの会社に、バイブルはあるだろうか？

「まーた変なこと言い出したよ、この人は！」と思われるかもしれない。しかし、すべての宗教に、経典があるように、あなたの会社も、バイブルがなくてはならない。

バイブルとは、あなたの会社の商品や考え方について、分かりやすく、簡潔にまとめた書き物である。私としては、四〇～七〇ページ程度の小冊子を作成することをお勧めする。私が小冊子を大変効果的だと思うのは、自分の体験があるからである。

前にも話したが、私は独立当初、『小予算で優良顧客が集まる画期的ノウハウ』という七〇ページほどの小冊子を作った。そして営業活動は、この小冊子を配ることだけに専念した。なぜかと言えば、「コンサルティングいかがですか？」と営業するよりは、「この小冊子を無料で差し上げます」と配るほうが、よほどラクだからである。

以来、私はこの小冊子を、一字も変更することなく、累計二万部以上配っている。私が短期間に大量のお客を獲得できたのは、まさに、これ一冊のおかげだ。

この小冊子は、営業活動をスムーズにし、成約率を高める上で、多大の役割を果たしたが、私が、さらにビックリしたのは、その口コミ効果である。「この小冊子を勉強会に使いたいから、三〇冊購入したい」という人が現れ、そして「この小冊子を、知り合いからいただいて読んだのですが……」という問い合わせが増えてきた。このように、口コミが広がっているのが、実感できたのである。

私は、その時、改めて「書籍の影響力は強いんだなぁ」と思い知った。

当然のことながら、これがカタログや会社案内であれば、誰も人には渡さない。ところが、ちょっとした書物に見えるから、人に渡したくなるわけだ。

もちろん、内容が貧弱であれば論外。しかし、内容が良い場合には、カタログに見えると口コミにはならないが、書籍に見えると口コミになる。カタログは営業ツールで、無料なのが当たり前。それに対して書籍は、本屋で売られているものだから、価値あるように思われるからである。

さて、小冊子には、一体何を書いたらいいのだろうか？

一言で言えば、商品の購買判断の基準である。言い換えれば、商品を買う前のチェックポイントをお客に教えてあげる内容にするといい。

最近のお客の悩みというのは、あまりに商品情報が氾濫していて、何を、どういう基準で選んでいいのか、分からないということだ。その結果、最も簡単な購買判断の基準として、安い価格を求める。つまり、お客が安値に流れるのは、最安値の商品をお客が求めているわけではなく、良い商品の見分け方を教えない売り手の責任である。

例えば、あなたがエアコンを買うとしよう。

きちんとした会社は、エアコン工事の際に、国産の純正パーツを使う。純正パーツは、価格は高いが、パイプ径が〇・八ミリあるから、耐久性が高い。

それに対して、安売り会社は、中国製の〇・六ミリのパイプを使う。このパーツは、仕入れ価格が安い。しかし引越し等で、破損しやすい。

私がスーパーの家電のバイヤーと交渉していたときに、こんなことを言われた。

「神田さん、エアコンはどこで利益を出すか、知ってますか？　取付工事の際に、安い部品を使って、利益を出すんですよ」

つまり、消費者に分からないところで、誤魔化しているわけである。

消費者は、「ずいぶん安い買い物をしたわ」と喜んでいるだろうが、実は知らぬが仏である。

さて、あなたはこの話を聞いた後、どの店で買い物をするだろうか？

一番安い商品を販売する店で買うだろうか？　それとも、信頼できる店で買うだろうか？

小冊子では、このような商品の購買判断の基準を、お客に教えてあげるわけだ。すると、お客に会う前から信頼性を獲得できるので、営業が格段にスムーズになるのだ。

さて、このように小冊子は大変効果的なツールなのだが、多くの人が実践しようとしない。なぜなら、たかが四〇ページの小冊子を書くのでも、いままで文章を書いたことがなかった人は、「とても俺にはできない」と思い込むからである。

いったん書き出してみると、一向に筆が進まない。自分の商品に対してのあやふやな知識、自分の経験してきたことの薄っぺらさを痛切に感じることになる。

「俺はいままでいろんな経験を積んできて、そこそこのノウハウを持っていたかと思っていたら、それはたった一〇ページにもならないのか……」と愕然とする。

なぜ分かるかといえば、私自身がまさにそういう苦しみを経験したからである。

しかし、この苦しみは、必ず実になる苦しみである。

自分の考えを小冊子にまとめた後では、当然のことながら、お客に自分の考えが伝わりやすい。さらに、その考え方が社内にも浸透し始める。そこで、会社全体の営業力が格段に上がってくるのだ。

最短コースでの小冊子の作り方

「小冊子は、確かに強力なツールだということは分かったけど……。でも、忙しくて、とても書く時間がとれない」

あなたのそういう気持ちは、私もナマケモノだから、よく分かる。

そこで、誰にでもできる、簡単な小冊子の作り方を、こっそりお教えすることにしよう。

まず一番簡単なのは、毎月発行するニュースレターの一年分をまとめて、小冊子にしてしまうという方法。つまりニュースレターを書く段階で、初めから連載コーナーを用意しておく。そのコーナーに少しずつ書き留めるという方法だ。この方法であれば、まとまった時間を必要としないので、忙しくても実行可能だ。

さらに、自分はどうしても書けないという場合には、「お客様の声」を大量に集めて小冊子を作るという方法もある。

「お客様の声」は、二つ三つでは、ほとんど信頼性がない。サクラを使ってるんじゃないか、親戚なんじゃないだろうか、と思われるのがオチだ。しかし「この会社は素晴らしい」

「この商品は素晴らしい」というお客様の声が、一〇〇人分以上集まったらどうだろうか？　これだけ大量に集めると、もはや疑いを持てるレベルではなくなる。つまり圧倒的な信頼性を得ることができるわけである。

それでは「お客様の声」を大量に集めるためには、どうすればいいのだろうか？

答えは簡単。「お客様の声」を集めることを、ゲームにすればいい。

例えば、次のような趣旨のご依頼をする。

「あなた様は弊社製品を、どのようにご愛用いただいておりますでしょうか？　さまざまなご利用法・ご感想をお教えください。お寄せいただいた方には、お礼といたしまして、商品クーポン券一〇〇〇円分、そして最も優れた感想文をお寄せいただきました方には、お友達三人と行ける温泉旅行にご招待させていただきます」

このように、お客様の声を集めるというゲームを企画する。そして寄せられた感想文を、まとめる。すると、自社ではほとんど作業なしに、小冊子ができてしまう。

できた小冊子は、見込客にカタログをお送りする際に、資料に同封しよう。すると、今

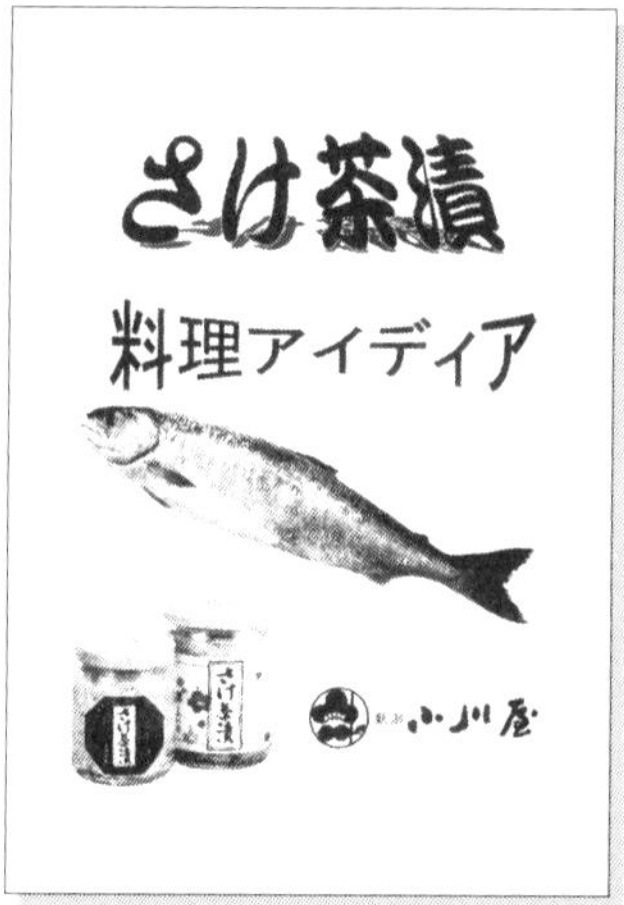

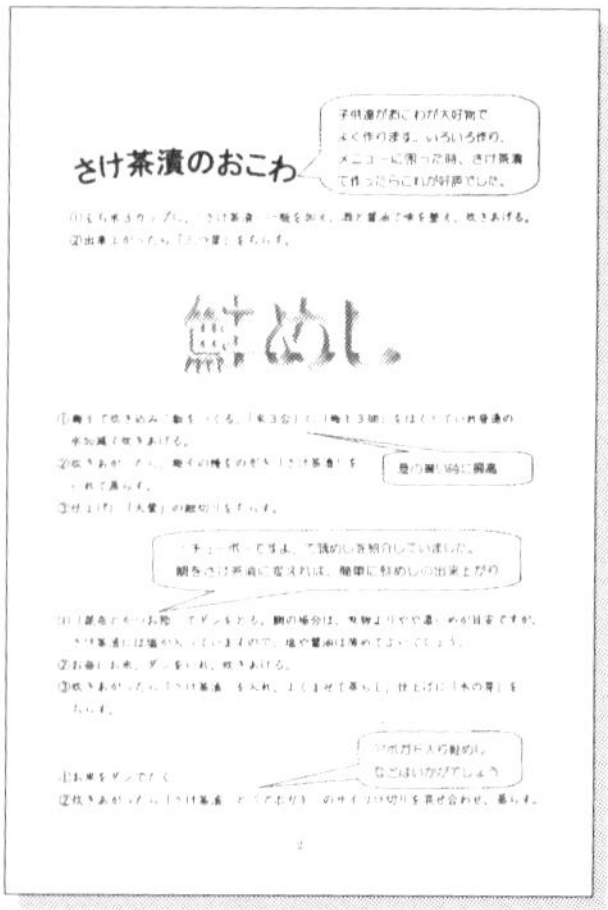
さけ茶漬のおこわ

鮭めし

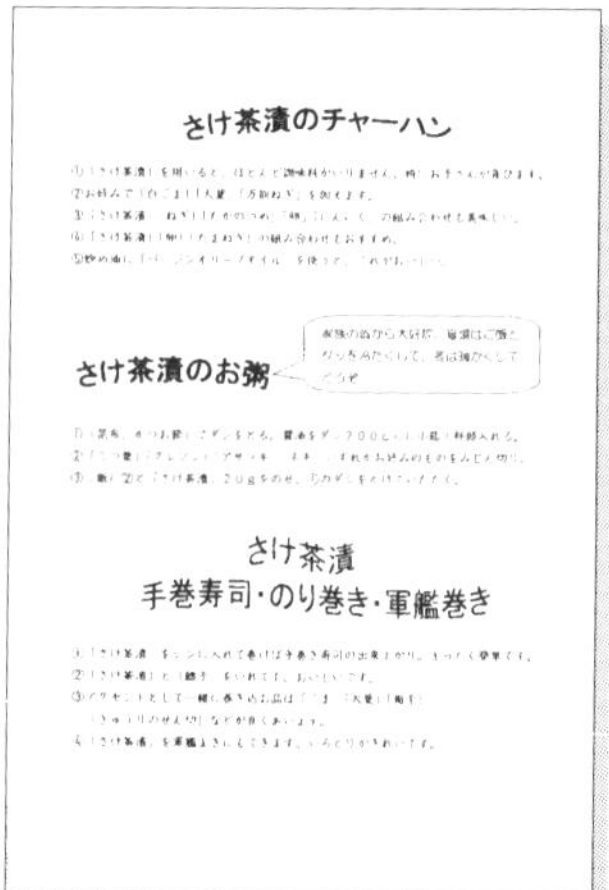
さけ茶漬のチャーハン

さけ茶漬のお粥

さけ茶漬
手巻寿司・のり巻き・軍艦巻き

お客様からのアイディアを掲載した
小川屋の小冊子

までに比べて、成約率が、ほぼ確実にアップする。

さらにお教えすると、あなたが「書くのは苦手だけれども、しゃべるのは得意」という方であれば、ステップ５で、お話しするイベントを活用する方法もある。

例えば、あなたが、仮にイベントで、あるテーマについてお話しする機会があるとする。それを録音しておくか、ビデオに収録しておくことをオススメする。

ビデオ収録というと、極めて大変な作業と思うだろうが、最近のデジタルビデオの品質はいいので、素人でも十分きれいな画質で録画できる。同様に、録音する際にも、ＭＤを使えば簡単だ。スタジオ並みとは言わないが、十分な音質では録音できる。

そして録音したものをテープから起こし、小冊子にすればいい。

要するに、ほんのちょっとした工夫で、あなたがしゃべったこと、あなたが考えていることを、小冊子に作り変えることができるのだ。

このように小冊子を作るのは、あなたが思っているほど、難しい作業ではない。

重要なのは、やってみようという情熱と意志次第。あとは、はじめの一歩を踏み出すだけなのだ。

「よし、それじゃ、はじめの一歩を踏み出すぞ！」と思ってくれただろうか？

この質問に対する答えが「はい」の方だけ、次をお読みいただきたい。


さあ、ここで決心してくれたあなただけに、事前に教えておこう。

踏み出したのはいいものの、それが間違った一歩だったら、努力が水の泡となってしまうからだ。

実は、小冊子を作る上での最大の間違いは、「面白くないものを作ってしまう」ということにある。読んで面白くないものを作っても、必ず捨てられる。それだったら、作らないほうがいい。

そこで、面白いものを作るために、まずは、簡単なリサーチをして欲しい。

自分の商品に関連する雑誌があるかどうか、本屋に見にいくのである。「これは、面白そう」と思われる雑誌を、数冊買ってきて欲しい。そして、その特集記事を見てみよう。

実は、この雑誌記事が、あなたのお客が、読んで面白いと思うものなのである。

雑誌の編集部は、読者が、どんなことに関心を持つのか、日夜、研究している。その記事が面白いかどうかで、業績が決まってしまうのである。だから真剣勝負で、読まれるものを作っている。

ならば、あなたも、雑誌記事の切り口を参考にするのが、最も手っ取り早い。

記事の切り口だけではなく、文体も参考にしよう。

自分で、いきなり書こうとすると、緊張しているから、大抵、論文みたいな文章を書いてしまう。残念ながら、誰も論文は読みたくない。

できるだけ会話調の、短い文章を書こう。

会話調の文章を書くことで、その読者は、実際に、著者と話しているような疑似体験を持つことになる。その結果、実際に会ったときに、あなたの人となりを、お客は知っているわけだから、営業が驚くほどスムーズになる。

以上が、ナマケモノでもできる、小冊子を作る手順である。

あなたに、素晴らしい商品があり、そして、多くの方に知らせてあげたいという強い使命感を持っているなら、ぜひ、トライしていただきたい。

書く前と、書いた後では、人生が変わるといっても過言ではないと思う。

ステップ❺ イベントを開催する

ステップ4までは、文章を通してお客と交流してきた。

そのメリットはなんだろうか?

そう。量産可能だということだ。

一度作ってしまえば、あとは、印刷機が仕事をしてくれる。あなたの会社の思想を、限りなく多くの人に伝えることができる。「産業革命の一番の発明はグーテンベルクの印刷技術だ」といわれているが、まさに、そのとおりだと思う。

このような凄いメリットがあるのだが、やはり文章だけだと、限界がある。お客と確固たる絆を持つためには、実際に会って、会話をするというプロセスが不可欠である。

そこで、イベントを開催することが重要となる。

イベントは、キリスト教でいえば、ミサである。組織のメンバーであることを確認し、メンバー間の結束力を高める。そして新しい信者を勧誘するための場所を提供することが目的だ。

多くの企業は、ブランドを確立するための効果的な方法として、イベントを開催する。例えば、ホンダは、スポーツカーNSXのオーナーのために、毎年NSXフィエスタというイベントを開催。レーシングサーキットを開放し、オーナーとの懇親を深めている。

スピーカーのボーズでは、ボーズ・バディ・クラブがあり、会報誌がもらえ、懇親パーティーに参加することができる。さらにはアメリカ・ボーズ本社見学旅行も開催している。

「ブランドを確立すること＝熱狂的なファンをつくること」という基本に戻って考えれば、なぜ、ブランドを重視する企業が、ファンを集めるイベントを開催するのか分かると思う。

もちろんイベントは、大企業ばかりでなく、中小企業にとっても、極めて効果的。お客との結び付きを強めるだけではなく、即、売上アップにもつなげられる。

■健康・関連商品を販売する株式会社プロ・アクティブ（前述）は、定期的に、治療院の先生によるオープンクリニックや、著名人を招いての健康セミナーを開催。その後、おみやげとして、商品サンプルや、本日限りの割引クーポンを渡して、当日の売上に繋げている。

■ワインショップの「中仁酒店」↓（愛知県・半田市）は、ワイン好きのお客のために、戦前のワインを飲み比べするというセミナーを開催。参加者は全員、大橋ソムリエが、薦めるワインを、後日、大量に購入している。

■トナーリサイクルの「有限会社イワサキアソシエイツ」↓（東京都・目黒区）では、一〇月七日をトナーの日と定めて、工場でトナーリサイクルを体感する、トナーまみれ温泉ツアーを、お得意様のために開催。その後、参加した企業から紹介が相次いだ。

■不動産会社の「株式会社ハウジングセンター」↓（大阪府・枚方市）は、欠陥住宅セミナーを開催し、雨の日にもかかわらず、一〇〇組以上の集客をしている。こうした密なコミュニケーションも手伝い、当社が企画した六五〇〇万円の住宅は、お客の間で奪い合いになり、即日完売となった。

以上の会社は、嬉々として——学園祭のノリで——このイベントを楽しみながら、しか

→「中仁酒店」http://www.slalom.co.jp
→「株式会社イワサキアソシエイツ」http://www.ecofine.co.jp
→「株式会社ハウジングセンター」http://www.touryokai.co.jp

も稼いでいる。

「確かに楽しそうだけど、時間が取られそうだなぁ……」と煮え切らないあなた！

それじゃ、まず手始めに、上得意客を数人集めて、お茶会や昼食会を開こう。パワーディナーと称して、打ち上げをしよう。このぐらいだったら、始められるのではないか？

キーマンと親交が深められ、さらにメンバー間の交流が促進できる。

これが一番、簡単なイベント。しかも楽しい。

イベントの開催に際して一番の障害になるのは「完璧主義」である。

「人前で話したこともないし、一体、何をしていいんだか……」と悩む。「お客を怒らすんじゃないだろうか」と心配になる。

しかし、あまり心配はいらない。なぜなら、こうしたイベントを企画したときの集まりにやってくる人種は、新しもの好きが多い。多少の欠点はあまり問題にせず、ある意味で、あなたを「育ててやろう」という前向きな人が集まる。

私も「顧客獲得実践会」という組織を主宰しているが、独立当初は、全く恥ずかしくて話にならなかった。しかし、それでも当初集まった方々は、何人ものお客を紹介してくれた。

その経験からお話しすれば、初めから完璧主義でいく必要はない。逆に、完璧でないほうがいい。なぜなら、当初集まる人は、「こいつにはなんとしても成功してもらわなければならない」という親心を持ってくれる人が多いからである。

初回から、プロ並みの人はいない。

初めは「ヘタなのは仕方がない」と割り切ろう。

「イベントやっちゃいます」という軽いノリで始めよう。

それを三回やるころには、まわりがびっくりするほど、素晴らしいイベントができているはずだ。

イベントを即効売上アップに繋げる裏技

イベントに消極的な会社には、理由がある。

どうして売上につながるのか、分からないからである。

そこで、イベントを売上や紹介に繋げる、とっておきの方法をお教えしよう。

先日私は、後楽園遊園地の「ドレミちゃんショー」というのに出かけた。入場料は無料。着ぐるみを着たアニメのキャラクターが、踊るというショーである。

無料なので、子供を連れて行ったら、それには裏があった。

ショーが終わったら、サイン会がある。アニメのキャラクターが、色紙にサインをしてくれるのだ。それに参加するには、特製の色紙を買わなくてはならない。その価格は、八〇〇円だった。

さらに、写真撮影会がある。それはポラロイドカメラでドレミちゃんと写真を撮影し、それを切り抜いてペンダントにするというイベントだ。これに参加するのに、一五〇〇円かかる。

色紙とペンダントで、合計二三〇〇円の出費となった。

う〜む。無料だと思っていたのに……。

こんなものは、普段であれば、当然買わない。しかし、その場の雰囲気で買ってしまうのである。一体、どのぐらいの人が買っているかを数えてみると、一五％〜二〇％のお客が、なにかしら買っていた。

これが「しくみ」なのである。

入場料は安く抑えて、イベントの最後に、紹介を依頼したり、販売を行う。

イベントの最初から、「今日は、紹介をいっぱいもらうぞ！」「今日は、たくさん売るぞ！」と売り込みをかけるのは、あなたも気が引けるだろう。

そこでどうするかといえば、「コロンボ作戦」を使うのだ。

コロンボ作戦とは、刑事コロンボのように、とぼけながら、本質を突く方法である。

例えば、紹介を依頼する場合には……


「今日は、ありがとうございました――心のなかで一〇数えた後に――あぁ、そうそう、大事なことをひとつ忘れていました。実は、ここにおいでになっている多くの方がそうであるように、私どものお得意様というのは、お客様からのご紹介がほとんどなんです。私どもは、良質なサービスを提供していくため、高い広告宣伝にお金をかけないで、お客様からのご紹介を頼りにしています。そこで、お願いなのですが、お友達のなかで、私どものサービスがお役に立てる方がいらっしゃったら、ぜひ、ご紹介ください。お友達ご優待券をお渡ししますので、話題が出たときに、差し上げてください」

販売を行う場合には……。

「本日は、ありがとうございました——心のなかで10数えた後に——あぁ、そうそう、大事なことをひとつ忘れていました。本日いらっしゃっていただいた方、限定で、ご優待のお知らせがありました。今日の感謝の気持ちとして、特別にご優待価格で、私どもの商品をご奉仕させていただきます。またとない機会ですから、ぜひ、お買い求めください」

ポイントは、さらりとやること。

イベントのときには、こうしたコマーシャルをやるのとやらないのとでは、大きく収益が異なる。やれば確実に収益は上がる。やらないのは、そこにある現金を燃やすのと全く同じだ。

もちろん、初めは、勇気がいる。

しかし、やった後は、あなたは満面に笑みを浮かべていることだろう。

私がお約束する。

社長と社員の反省会

「考えてみれば、お客様の声にしても、ニュースレターにしても、どこかの会社がやっていたことだよな。別に新しいものがあるわけじゃないんだ。」

「えぇ。バラバラだったから、分からなかったけど、お客にしゃべってもらうという観点で組み合わせると、パズルが一枚の絵を作るみたいに、実に意味があるものだったんですよ。」

「うちでもいろんな販促物を作っているだろう? Tシャツとか、ジャンパーとか。こういうのも、意識してこなかったけど、そもそもは、口コミを伝染させる道具だったのか?」

「そうだと思います。そもそも商売がとても上手な人がいて、体系的にいろんなことをやってきたんだと思います。ところが、それを、表面的に真似をする人が出てきたんでしょう。すると、本質的な考え方がなくなって、そのツールだけが一人歩きしてしまった。その結果、本来の目的と全く関係ない販促物になってしまった」

「そうか。それじゃ、うちの会社も、すべてをやり直すじゃなく、いま持っているものをちょっとひねればいいわけか？　本来、どんな意味を持っているのか、分かっていながら使うのと、まったく分からないまま使うのと、大きな差が出てくるだろうな」

「確かにそうです。本来の目的を忘れてしまうと、ツールを作ること自体が目的になってしまいますからね」

「それと、確かにツールも大事なんですが……。この著者が伝えようとしているのは、単なるツール以上のものを僕は感じます」

「というと……」

「情熱は伝染すると、言っているでしょう。うちの会社では、社員の情熱が不完全燃焼しているると思うんです。みんなやる気はあるんだけど、難しく考えないと、結果が出ないと思い込んでいるんじゃないでしょうか？」

「確かに、会議は多いし、レポートも多いな」

「でも、そんなに苦しむ必要があるんでしょうか？　この本で言われていることは、いわれてみれば、あぁ、そうだよな、と思うものばかりじゃないですか。決して、インターネットの技術的な知識が必要なわけでもないし、ＭＢＡの知識が必要なわけでもない。お金もかからない。しかも、楽しいじゃないですか？」

「うん。この本に取り上げられている事例は、決して大きな会社の、事例じゃない。ところが、なんか情熱を感じるよ。『やってやろう！』という。」

「そうでしょ。こんなに楽しそうに、頑張っている人がいるんだから、『俺も頑張らなくちゃ』と情熱が湧いてきたんですよ」

「もうお前に情熱が伝染しているわけか？」

「えぇ。そうだ、情熱が伝染するんだったら、ぜひ、ほかの社員にも、こんな前向きで頑張っている会社の情熱を伝えましょうよ。そうすれば、会社も大きく変わりますよ」

「うん、そうしよう。まずは『口コミが伝染するというのは社内からなんだ』ということを、全員に教えてあげよう」

「次に、まずは『お客様の声』。それを早速、集めましょうよ」

「そうだな。お客様の喜ぶ顔ほど、嬉しいものはないからな」

あとがき

世の中には、作用と反作用がある。
お金が欲しければ、お金を与える。
お客が欲しければ、お客を与える。
情報が欲しければ、情報を提供する。

口コミもまったく同じである。
お客に話題にされたければ、話題を提供する。
本書の内容を一言で言えば、このとおりだ。

本書を通じて、私は、あなたにお願いしたい。
苦痛ではなく、ビジネスを楽しんでもらいたい。

貧するのではなく、非常識なほど豊かになってもらいたい。

制限されるのではなく、限りなく自由になってもらいたい。


あなたに、この可能性を感じていただくため、私は、持っている情報は、すべて出そうとの思いで、この本を書いた。

自分のノウハウには、しがみつきたくなる。私も当初は、ノウハウを出すのが怖かった。すぐに底が尽きてしまうんじゃないかと、不安だった。

しかし、出せば出すほど、入ってくることが分かった。

理由は明らかだ。

与えられた知識を独り占めして、そして自分のエゴだけに使う者。

与えられた知識を、より多くの人に伝播《でんぱ》して、人々の役に立つ者。

あなたが、神であったら、どちらに、次の一億円を生むヒントを分け与えるだろう？

積極的に、与えよう。あなたの知識を、教えてあげよう。

この本から、少しでも得ることがあったら、ぜひ、まわりの人にも分け与えていただきたい。

本書を執筆する上で、次の図書を参考文献とさせていただいた。特に、初めの三冊は、ビジネス書として大変素晴らしい本なので、勉強家の方は、ぜひ、読んでいただきたい。

■『ティッピングポイント』マルコム・グラッドウェル著　飛鳥新社刊
■『人生を変える80対20の法則』リチャード・コッチ著　ＴＢＳブリタニカ刊
■『チーズはどこへ消えた？』スペンサー・ジョンソン著　扶桑社刊
■『「つかみ」の大研究　なぜ人を虜にするのか？』近藤勝重著　毎日新聞社刊
■『WORD-OF-MOUTH MARKETING』JERRY R. WILSON 著　WILEY刊
■『LET YOUR CUSTOMER DO THE TALKING』MICHAEL E. CAFFERY著　UPSTART刊

最後にお礼を……。

今回は、年末・正月休み、土・日を返上して執筆にあたった。そのため、家族には、ほとんど父親不在の状況を与えてしまった。子供たちは、私が『青ちゃん、黄色ちゃん、そして紫ちゃん』という絵本を書いていると思っている。嘘ついて、ごめんね。

毎回のことながら、親友であるワクワク系マーケティングの小阪裕司先生からは、多大な刺激をいただいた。本書に書かれた内容も、彼と居酒屋で飲みながら得られた多くのヒントがベースとなっている。彼の著作は現在までに三冊あるが、私の一番のお薦めは、『「惚れるしくみ」がお店を変える！』（フォレスト出版）である。私の本を読んで、共感するところがあったなら、迷わず買っていただきたい。

本書で説明されている口コミの伝染法、および売上アップ法は、到底私の個人的な体験だけで実証できたものではない。顧客獲得実践会のメンバーの協力があったからこそ、これだけ短期間で、結果の上がるメソッドが開発できた。

彼らの持っている実行力、そして前向きな情熱は、手放しに素晴らしい。一〇年経ってみれば、彼らが日本経済の中核になっているということを信じて疑わない。

今回、事例の掲載を快く許可いただいた、実践会のメンバー様。
心より感謝申し上げる。さらなるノウハウのバージョンアップで、お返ししたい。

二〇〇一年一月

実践マーケッター　神田昌典

518社の成功実績

～ 読者のあなたへ ～

ここに掲載された会社の多くは、

ほんの一年前に、あなたと同様に

私の本を手に取っていただいた方達です。

論より証拠の成功実績です。

1. この方法は同業者には知られたくない。DMのレスポンスが200%アップするのだから／EMG駅前ゴンダ　2. 導入後新聞にカラー記事で掲載され代理店募集に記事同封で資料を送ったら、なんと契約率50%アップ／サクセスプラン　3.昨年12月の売上は１年前に比べて実に５倍以上に。１年後が楽しみ／いわさ屋　4.マスコミに対するアプローチが思いのほかうまくなった／㈱コール金沢　5.困った時の神田頼み！神田マジック！愛してます！／ダイユーゴルフ　6.アレも試したい、コレも試したいといろいろなアイディアが浮かぶようになった／ソニー生命保険㈱仙台ＬＰＣ第３　7.既存顧客から管理契約を急に多くいただき、収益がアップ／㈱山田商店　8.つたないDMでもセール初日お買い上げ84名。しかも営業前から並んでいた方が30名以上／㈲レオナ　9.集客の難しいセミナーを確実に開催できるようになった／インスピレーション　10.電柱広告に少しずつ反応が。次の手を研究中／㈱青山パーキング保険設計　11.小冊子を作り11月末から積極的に配布。12月には来客数が前年比21%増。売上も16%増／フローラルウエイヴ　12.懸賞付きハガキを出し、回収率2000名中600名／㈱まるい　13.DMの反応が7%から15%にアップ。本当に良いものを良いかたちで紹介できるこのノウハウはすごい／笑顔博物館　14.「2年で売上2.5倍」や「広告効果が19倍」等のクライアントが続出／㈱インタークロス　15.無料レポートと毎月のニュースレターにより一人で8ヶ月で11棟受注！／ワダハウジング和田製材㈱　16.DMを30人に送ったところ、15人が反応して156万円売れた／㈲ラビーヌうさぎ薬局　17.三行広告からの小冊子注文レスポンス率がアップ。営業経費の20%を削減／㈱佐伯　18.見込客のリスト化進行中／ウネベ建設㈱ハウス事業部　19. 商品、プランだけでなく、お客様と心で繋がることの大切さを痛感した／㈱ナス保険センター　20.ご注文ハガキの中に「あなた様の大切なお友達を紹介下さい」ハガキを入れ、反応あり。DM反応率は30%アップ／㈲玉づくり味噌　21.DMに活用後、売上が2倍に！／㈱イシカワ　22.本に紹介され、見込客への戦略がスムーズに立てられた／23.広告を始めて見学会や問い合わせのお客様が5割アップ／㈱ログキャビン剣　24.業界初の毎月のファックスニュースへの「次月号はいつ来る？」の連絡が妙に嬉しい／㈲イマジン　25.なんとFC加盟が3倍になった／アデプト　26.ファックスDMと広告で「神田流殺し文句」を使用しただけで、反応が10倍になった／㈲日本カルシウム　27.21日間感動プログラムを20件実行。感謝の返信を5通受け取った／小松建設㈱　28.ニュースレター発行後2ヶ月目からリピート率が30%アップ／健美輪カギモト　29.具体的な方法が見えてきたので、社員の目の輝きが変わってきた／㈱シャイン　30.広告にファックス番号を掲載しただけで、資料請求数が10%アップ！／㈱日本教育クリエイト　31.売上が前年の133%になり、いまでも注文が止まらない／㈱ＶＩＰ三晃　32.「お客様の声」が会社に届くようになってから、社員のやる気が見違えるように上がった／㈲ラブリィズ　33.見込客へのDMで特典に期限をつけ、成功率30%アップ／㈱アプレス　34.ハガキメールを手書きで100枚出したところ、5日間限定でハガキ持参者が25名。持たずに来店された方も固定客に／㈱一力　35.この不況下に売上110%達成（対前年比）／㈱阿部食肉　36.初めて出したファックスDMで、新商品の初期ロット分を完売！新規開拓がカンタンにできた／㈱ビーライン　37.朝日新聞鹿児島版に広告を出し、レスポンスが10件あった／太田歯科医院　38.小冊子を作成し地元タウン誌でプレゼント広告を出したところ、28件の応募！チラシの反響よりも大きく、しかも予算は半分。チラシより大型物件を受注できた／㈱武井建築　39.導入後の通販売上がいきなり60万円アップ。リピート購入率も18%アップ。その後もなかなか順調／ナゴヤ美容㈱　40.特命受注が倍増。営業方法をいろいろ工夫した結果、イモづる式に新規が増え、従来の取引先も浮気をしなくなった／山一木材㈱　41.会員にニュースレターを5ヶ月間送付。4ヶ月目に売上150%アップ／㈱ウエルビー

42.対前年比110%アップ。直接業績アップにつながる方法を模索中／リフォームプラザ新潟総建装　43.気温0度の寒気の中、外壁リフォーム実践会に15組の参加が。広告は地域折込紙の記事だけ。感謝！／㈱トニー　44.当店ホームページやニュースレターのキャッチコピー等にかなりの効果アップが。アクセス、レスポンスがかなりアリ／㈲原花店　45.資料請求者の25%が新規顧客に変身／㈲メモリ　46.導入直後からハガキＤＭへの反応率が約30〜35%も数字となって表れた。これからますます楽しみ／プラスヘアー　47.チラシの反応率が8倍に。その75%が入塾／トップゼミナール　48.運転免許の総合サイトを立ち上げ、感情マーケティングにより毎月400〜800のアクセスがある／免許なび事務局　49.うちのような小さな会社でも、チラシも作り方一つですごい戦力になることがわかった／㈲ニービーオー　50.新聞広告に神田方式を取り入れて、いきなり反応が10倍にアップ／㈱クニシマ　51.広告の効果的な作り方を知った。集客が5倍にアップ／野島整体院　52.社員が販促活動に意欲的に取り組み出した。よい意味でゲーム感覚／㈱エスアンドエスネットワーク　53.ニュースレター発行2ヶ月後には新規受注1件。銀行はじめ取引先から顧客紹介3件。ニュースレターが一人歩きして、コンサルタントとしての評価を上げている／㈲佑コンサルタンツ　54.大きなポスターを国道沿いに貼ったところ、かなりの数のお客さんにひやかされた。うれしかった／山下石油店　55.いままで宣伝というものをしたことがなかったが、導入後一回の宣伝で来客数が1ヶ月で10倍に／エステスタジオラ・ルンヌ　56.ニュースレター発行直後の反応が大変多く、売上にも結びついている。スタッフの名前をたくさんの方が覚えてくれている／ティームセブンジャパン㈱　57.今のところ変化なし。現在取り組み中／㈲キャリアアップ　58.ＤＭで集客率30%アップ。ＦＣの新規加入倍増／㈱ネットワーク札幌　59.まっさらのお客さんにＤＭを打って、反応率が1.56%／グンゼ株式会社　60.チラシを4000枚配布し、反応が５件も。今までは1件がせいぜいだったので、まるでウソのよう／㈱リアルビジョン　61.導入直後からＤＭの反応が３倍以上。紹介新規顧客が2倍以上。1ヶ月で売上45%増、3ヶ月で2倍に。この上昇は止まらない／まるかんのお店北上常盤台　62.メルマガにプレゼント広告を出したところ、通常月12〜13人くらいの反響が、約100件も。かかった費用は3万2000円／㈲茅住建　63.今までの広告チラシがなぜ反応が低かったのかがわかった。広告を戦略的に考えられるようになった／㈱芝元工務店　64.新規開業のパソコン教室が、開業日にたちまち生徒50名を集客／㈱千葉教育フォーラム　65.美容師さんの手荒れやアトピーにいい石鹸が全国へ向かって上昇中／レラ大阪東販売㈱　66.リフォームスタジオで定期的に行なっている教室で奥様方を１日10〜12名集客。女性の口コミを大切にしたい／㈱ミック　67.たったひとことの注釈を入れることで、チラシの反応がアップした／㈱ケンプル　68.既存の取引先からの扱いが増えた。ファックス送付表に工夫し、先方から弊社への発注回数が月間で2〜3倍に／㈲ブラッシュアップ　69.導入後、広告の反応率が20%アップ／アメリカン・ランゲージ・スクール防府校　70.神田方式の楽ちん営業でも実績は15%増／㈲ゆとりすと　71.エモーショナル・オファー広告展開で顧客獲得率30%アップ／㈲デザイン監理研究所　72.展示会の1坪の小ブースで300人を超える名刺交換。手作りホームページでの問い合わせが月30件／㈱ケー・アソシエイツ　73.業務改善マニュアルを始めて、毎週確実に10件の改善案が集まり新規開拓に直結するアイディアが生まれた。新規取引先1ヶ月で6件獲得！／㈱成川米穀　74.ニュースレターを発行するようになり、顧問先を6ヶ月で6社紹介された／㈱財務プランニング　75.150通のＤＭを発送し、5日間で6件の反響あり。営業マン一人が1ヶ月かかって新規発掘する作業量に相当する／㈱オフィスアサイ　76.レターなどのマテリアルの工夫でＤＭの反応が5倍に／日経ＢＰ販売㈱　77.チラシ、ＤＭのコピーの違いで、ここまでお客様の反応が違うということに驚いている／㈱トリム

78.ニュースレターを発行してから、お客様から車検の受注が取りやすくなった。知らないところで自社の名前が挙がっていると思われるケースが出てきた／神明モータース　79.創立40周年記念での広告でプレゼント企画を実施予定。必ず効果があるだろう。こうご期待！／㈱冬頭建設　80.「米つきバッタ営業」はダメ！勇気を出して強気のトークを実践したい／㈲藤本保険サービスプラネット　81.会議の場で、あるいはチラシ作成の際、いかにすれば感情を動かすことができるかを、社員が考えるようになった／㈱グローバルアイ　82.ホームページに応用して立ち上げ1ヶ月で106社の見込客獲得。さらにＤＭに応用、2週間で投資金額の100倍の成果！／㈱ティー・ワイ・シー　83.ホームページの1ヶ月の資料請求数が6倍にアップ／㈲カーラ　84.15秒の資料請求問い合わせ電話で40%の反応。顔も見たことのない遠方の人がお客になってくれる。しかもたくさん／中島酒店　85.チラシを変えて反応率が40〜80%アップした。ＤＭによる売上も平常の80〜140%アップ／珈琲鳴館　86.ようやく構想がまとまり環境も整った。きっと成功する／二光産業㈱　87.今までのやり方や考え方がすっかり変わった。必ず業績アップにつながると確信／㈱ＣＷＭ総合経営研究所　88.社員の顔写真を載せたチラシ1万枚に20件の電話有り。その後もチラシを手元に残してもらっている／㈲横溝工務店　89.ＷＥＢ、ＤＭのレスポンスが急激にアップ。売上も増えている。仕掛けるのが楽しくなった／チェリーソーダ@㈱エヌデーシー　90.チラシの反応率がアップ／みのや住宅設備　91.当期身処分損益が前年比216.6%まで上がった／㈲野村電機　92.資料請求後のＤＭを書き直すことで、こちらからの説得なしに成約できた。もちろん面談率もアップ／ニルヴァーナ　93.他と違う方法で営業できるやり方に、すばらしくやりがいを感じている／アンカー・ビジュアルネットワーク　94.関係先企業に応用することで評判を呼び、商工会議所での講演依頼が半年で10回増えた／オガワ・経営事務所　95.ウソのような本当の話、なんと前期の売上たった1ヶ月で達成！／㈲井本建設　96.エモーショナル・マーケティング、これは使える！ＤＭ郵送費58万5678円、売上752万1100円。しかも2週間で集客／アイルポスト㈲　97.「チラシを書いた人」との指名で仕事が来るようになり、お客様には必ず「チラシが面白いから電話した」と言ってもらえる／サンクホームサービス㈲　98.広告代が4分の1に。反応は4倍に／楽しい㈲　99.従来2%弱のＤＭ反応率が13.2%へ飛躍的に向上／㈱ネクスメディア　100.手紙風ＤＭが、また続きが読みたいと大好評。現在ワクワク系店づくりにもチャレンジ中／車の磨き屋オフサイド101.一番自信のある商品（顔写真）をＰＲできる広告宣伝名刺が大好評。新規30社獲得、口コミでの紹介続々／晃南印刷㈱　102.毎月発行するニュースレターに体験談を写真入で掲載。その商品の出荷率が2倍に／㈱シェアリングヘルスジャパン　103.いままで自分の頭の中にあったものが整理できた。クライアントに新たな手法を提供したところ、今年1月の実績は粗利が対前年比170%となったところも／ＤＢ㈱　104.「見込客を集めるスペースの基準」テクニックで、1週間に120名の成約。月間400名突破確定！インターネットでも効果絶大／プランニングスクエア　105.「エモい」ファックスＤＭ導入後反応率が30%以上アップ／㈱ナック福岡支店　106.導入直後からＤＭへの反応が30%アップ／プロローク仙台　107.オファー提供ファックスキャンペーンを行なったところ、潜在見込客が増加。オファーなしと比べ3〜5%の返信率アップ／㈱デザインアンドデベロップメント　108.チラシで3名集客、小広告で43名の集客。10倍以上の反応／㈲鹿都建設・ロフトホーム　109.ニュースレターの力を思い知らされた／㈱リフォームハウス　110.導入2ヶ月で、ダイレクトファックス情報で反応35%アップ！／美再生工房　111.過去4回のＤＭでいずれも驚異的な反応率。最近では1000人に送って300人以上の方から反応が／アシール総合研究所　112.ハガキＤＭに切り替え、800通発送し15件の問い合わせ、90%以上の成約率。出費は5万円／明光義塾佐野教室　113.導入後360度思考が変わり「エモい」パンフレットができた／㈱芳文社　114.チラシを配れないので、年賀状に工夫。前年比20%の来院があった／たかさき歯科医院

115.毎月紹介による新規客が着実に増加中／神戸印刷本店　116.たった一回のフリーペーパーへの掲載で、20件以上の反応が。一件あたり約450円の経費で済みました／イスク英語学院　115.「パソコンのブラインドタッチを6回で覚えられなかったら、受講料を返します」と宣伝。これは効きます　ひたちメソッド　116.まだ思考錯誤の状況だが、ノウハウを吸収してがんばっていく／㈱レック　117.教室前にチラシを置いていただけで5名入会。新聞折込チラシで18名入会。コストは全部で50万円。1ヶ月分の月謝だけで回収／（資）ツルカメ繁栄社　118.あらためて会社名を知ってもらい、セールス活動が少しはしやすくなった／ナショナルツアー　119.導入前のＤＭでは500通を2回出してレスポンスゼロ。導入後は同じリストで500通出してレスポンス率0.98%、5名の資料請求あり／ネスコム小樽教室　120.ワンステップのファックスＤＭに全く反応なし。改良し2ステップにしたところ、72件中2件の反応があった。これからが楽しみ／㈲江南電設　121.マーケティングの基礎理論がわかってきて、顧客名簿の活用や囲い込みに成果が上がっている。売上は前年同期の20%アップ／アクトアカデミー　122.導入後より問い合わせ件数がアップ／高山社会保険労務士事務所　123.ＤＭの反応が50%アップ／ミレキアロ　124.導入から半年、リピート購入率が10%アップ／オオシマ補聴器センター　125.新規事業の広告で、文章のみの安い広告に反応率3%。文章が人を動かすと実感／生活経費削減実践会　126.お客様から電話やファックスなどの行動が起き、引き合いが多くなった／㈱セレネ　127.やる気になっている。早速実践／㈲シンライト　128.ミニコミ誌の広告への反応が、コンテンツを変えただけで11件から25件になった。ポスティングチラシの反応はなんと250分の1に！／㈲後藤建設　129.ただ単に売りこむのではなく情報をもたらすことで、昨年は毎月顧客を獲得できた／藤岡食品㈱　130.ＤＭを書き換え、反応率が100分の1から60分の1にアップ／㈱彩華七田チャイルドアカデミー竹の塚教室　131.営業マン27人で売上9.1億円だったのが、18人で9.4億円に！／㈱グリーンランド　132.お客様に段階を追って興味を持ってもらえるように、送付資料に工夫。電話アポ時の印象もよくなり、会いやすくなった／㈲サーブインコーポレーション　133.導入3ヶ月後、問い合わせ資料請求が30%増加！／㈱藤井工務店　134.電子メールを活用したＤＭに変更。月々100万円の広告宣伝費が、たった5万円へ削減／㈱アクティブ　135.見込客の名簿からの成約率が、12%から47%へ急上昇／ベスト塾　136.セミナーの案内を送る際、ファックスで送る方法と神田式にＤＭを送る方法を両方試したが、なんとＤＭの反応率はファックスの7倍に／㈱Ｔ・Ｍ・Ｃ　137.新規事業がスムーズに立ち上がった。ＤＭの反響が見えるので計画通りに推意中／㈱エス・シー・アイ　138.一通出せば1000円儲かるＤＭ術を発見／モニカコーポレーション　139.神田先生のニュースレターで紹介され、問い合わせのファックスが2日間で127通飛び込んできた／番町書店　140.導入後年間売上が20%アップ。利益率はそれ以上に大幅アップ／㈱ファインズ　141.導入後5ヶ月でＤＭによる来店者が5.1倍にアップ／㈲ホームデコ　142.お客様と面談する回数が増えるほど紹介がもらいやすくなる／インシュアランスネットサービス　143.新規のお客様3911件にファックスＤＭを流したところ260件より申し込み有り。1日半ファックスが鳴りっぱなしに／オフィスサポート㈱　144.導入してから売上か約40%伸びました／青山整足研究所　145.お客様からの紹介のおかげで開拓営業もＤＭもまったく必要なくなった。口コミこそ最強の営業マン／㈲エンジェル　146.20%オフのハガキの反応は30%くらいだったが、ジャンケン・サービスに変更したら、もしかしたらオフがないかもしれないのに、44%の反応だった／美容室ペンギン　147.神田方式のセールス・トークで、無駄な見積りが50%減った／㈱ハウゼ　148.自社の経営理念を、機会をとらえて表現中！／㈱吉井組　149.新店舗オープン以来チラシを出すこと10回、はずしたチラシはなし。1000枚で250枚は返ってくる／屋台ラーメン麺'S　150.高値で見積りを出しても「お願いします」と言ってもらえるようになった／佐竹内装工事

151.導入後4週間目で15%反応アップ。7週間目で23%反応アップ。地道だが徐々に反応が上がっている／濱田保険事務所　152.初めてのファックスＤＭを9社に出したところ、2社より返事あり／㈲リフレ会津　153.在庫処分無料抽選会のチラシ2000枚で66枚回収。あとで無差別チラシの反応率が1%と知った。理論に間違いなし／㈲キャメルマートみうら　154.営業社員の意識が「大変」から「楽しい」に変わり、その結果売上が40%～70%アップした／ミキモト化粧品　155.法人向けなのでＤＭを重視していなかったが、意外にも好レスポンス。引き合い増加／サンケイデザイン㈱　156.ニュースレターを開始。会社全体の仕事感が変わってきた／グローバランス㈱　157.数字ももちろんだが、私にとって一番大きかったのは、ビジネスの面白さと自由性を教わったこと／グリーンハウス　158.患者さんのリピートが増えた／成田第一整骨院　159.ニュースレターのタイトルと内容を変更。その結果読んでもらえるようになり、営業がやりやすくなっている／㈱アイ・シー.・エス　160.地方ミニコミ誌の約5万円の広告で、54名の方から問い合わせが／ＦＲＯＭ30ＴＹ　161.当社クライアントのリゾートホテルの広告5万円で、150名の宿泊客を集客／㈲ケイシイアイエス　162.特に宣伝していないのに売上アップが起こっているケースがかなりある／㈱サンプランインターナショナル　163.チラシのタイトルを変更しオファーを入れたところ、問い合わせが倍増。効果は2週間続いた／㈲書肆おおさきやパソコン教室部門　164.ミニコミ誌1行1000円の広告5行で、資料請求78件をゲット／セントウェル印刷㈱　165.チラシの反応率が30%アップ。リピート客倍増／ベンリー浅草店　166.神田式セールストークを導入したら、取引先に優位に立てた／㈲グローバル・ケア　167.金融機関500社にＤＭを送ったところ、2週間で80件の反応が／パーソナルライフズエデュケイト㈱　168.広告コストは25%に、集客は2倍に。まさに神田マジック！㈱メープルホームズ高松　169.初めて自作したチラシでも10件に1件はコンスタントに反応してくれる／小さなお店応援団　170.ニュースレターを出し続けているおかげで、特に固定客からの依頼本数が多くなった。またクレームの電話もフレンドリーになった／㈲イワサキアソシエイツ　171.広告の反応率が約5倍に。一回の広告費は葉￥確実にペイできるようになった。週末の来店者も4～5組から2ケタに増加／㈲タトワンアシー　172.レポートのプレゼントでお客を募ったところ、購入量が一昨年の30%強アップ／協同ビジネスサービス㈱　173.レポートを販売するホームページに購入者を掲載したところ、購買率が0.1%から7.5%と75倍に／プライムサービス　174.お客様の視点でサービスを見直すことができた／㈱ファースト　175.苦手の患者さんとのコミュニケーションがスムーズにとれるようになった。また昨年12月の患者件数は一昨年に比べ4割アップ／鈴木歯科医院　176.導入後、チラシの反応がアップ。1万1500枚で12件成約。以前は1万枚で1～2件だった／ＮＤＩ　177.導入後約1年、売上総利益が確実に100万円以上アップ／中仁酒店　178.見込客へのパーソナルレターで、いきなり一週間で120万円の粗利益。その後も同じ結果が続き、しかもその見込客発見に対する投資費用は5万円のみ／ＡＢＣコーポレーション　179.神田方式をネットショップに応用、全国販売への足がかりに。受注も着実に伸びている／洋菓子ハナビシ　180.仕事が見えるようになった。今年から反撃開始！／㈲イー・ライフ　181.資格取得支援のＤＭに申し込み期間限定グッズを用い、対前年比72%アップの生徒募集が行なえた／ハーベストホーム　182.広告の表現を変えただけで（内容は同じ）見込客が5人から18人にアップ！／㈲井上直美留学研究所　183.オリジナル冊子の無料進呈に反響多数。毎月確実に成約できている／武蔵野労務行政事務所　184.商品が売れるのは「理論」ではなく「感情」であると気付いた。顧問先にこの考えを伝え、より信頼を得ることができた／中小企業診断士若林敏郎事務所　185.今までは体裁を整えることを第一としていた企画書が変わった／東洋ビデオ株式会社　186.エモーショナルマーケティングを使い始めてから、ファックス・インターネットでの反響が上がり、問い合わせが多くなった／ＧＩ㈱片野代理店

187.反応率は20%アップ、成約率はなんと40%アップ。ひやかし客の見分けができるようになったので、無駄な時間を使わず稼働率が高くなったからか／アイティーオー㈱　188.既存客へのＤＭが、売上アップとともに顧客流出をストップさせることにも効果あり／㈲グローバルネッツ　189.2000年4月に会社設立後、8月までほとんど売上がなかったが、2001年1月、売上1800万円に。神田メソッドはすごい／ケイプリンティング㈱　190.導入後ＤＭレスポンスが25%アップし契約率が20%アップ／㈲上野工房　191.営業マンゼロ！受注数100%アップ！／㈲井上建工　192.小冊子を使ったセミナー活動で受注に成功！今期の黒字化に成功できた／㈲公方建設　193.ＤＭ56通を出して2件問い合わせ有り。1件受注／㈲赤澤プランニング　194.売上増加を目的としたキャッチコピーにお客様から感謝の声が続出。当然売上右肩上がり。これぞ感情マーケティング／㈱生活総合サービス　195.リピート紹介率30%アップ！／ナカタ　196.わずか10通ほどのＤＭで数千万円単位の案件を商談中。自分でもビックリ／㈱ニューアクア技術研究所　197.商売に対しての意識が変わった。次々にチャレンジする気持ちが出てきた。新規顧客数も前年同月比20%アップ／㈲木村商事　198.たった103通のＤＭに反応が2割も！毎日やりがいのある仕事をしている／㈱玉菓子　199.プレゼント付きＤＭでお歳暮の受注が倍増しました／㈲佐倉きのこ園　200. 3ヶ月間でＤＭの反応が3%から7%にアップ。内容をいろいろと試行錯誤中／旭物産株式会社本荘給油所　201.セミナーのチラシを改善したところ、効果テキメン。前年比10%の売上を達成。実は販促費は昨年比マイナス3%／㈱日本総研ビジコン　202.思い切った見出しに変えてから、ＤＭの反応が50%アップ／㈱アイテック　203.ビデオ無料進呈のオファーを広告したところ、希望者からの申し込み多数！／㈲中紀カスタムハウジング　204.見出しを工夫、他競合店との価格比較表を付けたチラシを配り、通常年の120%の販売数を記録／㈱ワグ　205.効果の見えないＤＭはすべてやめ、月間12万円削減。費用対効果表で来客率3～4%が13～16%に4倍アップ／太陽エリアス㈱　206.広告の切り口を変えたところ、0～3件だった反応が19件に！しかも新規のお客様から感謝の手紙まで／美容室ル・グラン　207.導入後業績は毎年上昇。今年度も保険代理店では異例の前年比170%アップ／㈱フラッグ　208.美容院、お米屋さんにチラシ作成、顧客サービスについて提案。「こういうサービスが欲しかった」と喜ばれた／名倉会計事務所　209.小冊子プレゼント企画等で2000人の優良顧客名簿が3ヶ月で手に入りました／司牡丹酒造㈱　210.見積り希望者全員に粗品プレゼントと広告したら、約1.5～2倍の効果が／トライティ㈱　211.ステップアップ販売方式で、値上げをせずに一人単価1.5倍増！／アトラスサイフィールド　212.ＤＭに反応した見込客30%が成約／リンク・コンサルティング㈱　213.導入3ヶ月後には売上200%アップ。いい20世紀を越すことができた／㈲大西保険事務所　214.純広告を記事広告に変え、問い合わせが150%アップ／㈲クラージュ　215.100万円かけたチラシへの反応は5人。神田流実践後に11万5000円の広告にて68人の反応が／㈱小松建設　216.「意見を求めるトーク」に変更したところ、今までアポの取れなかった企業からアポが取れた／エープランニング㈱　217.近々新商品の販売を開始／㈲薬膳ファーム食品　218.ファックスＤＭによる新規顧客開拓を実施。何度も文面をテストし、2～3%だった反応率が10%前後にアップ／ソシオコーポレーション　219.既存客へのＤＭ約100通で、直接受注16件、ハガキの返答による予約注文20件以上／アサカ㈱　220.チラシの色の重要性に気付いた。興味の引き付け方がまるで違う／ＡＳＡＨＩシティスクール　221.導入後、考え方が柔軟になり、多くのサービスや新商品のアイディアが出てきた／ハーツミュージックスタジオ　222.既存客1800人に出したＤＭで注文者190人、10.5%の反応率！／㈲伊勢錦　223.月1回の折込チラシの反応率が、キーワードひとつで200%にアップ！／興陽商事㈲　224.新聞広告で反応ゼロだったのが、たった月1万円の広告費で約50件の反応が！すでに成約も出た／㈲コヤタ　225.ＤＭと連動して店内の各種案内を総点検。好評です／㈱新巻薬局

226.感情マーケティングで1年間で売上1.35倍、ネットショップは4.5倍に成長、さらに勢いが増している。新規客のリピート率は70%を超えた／珈琲豆売り店さかもとこーひー　227.年賀状代わりにグランドメニュー等をお送りしたところ、予約が1日平均2～3組。半額金券返還デーは普段の平日の売上より約50%アップ。お客様どうしの口コミもあったのでは／㈲寿商事レストラントミー　228.ファックスによる営業で、全国組織の某組合とタイアップでＤＭを一括受注／さんわーくす㈱　229.半信半疑で行なったＤＭ作戦がみごと的中。反応が3倍になり、成約率も80%と確かな手応え／リコット　230.今までの先入観をなくしてチラシ作成・配布をすることができた／㈱丸忠　231.エモーショナルマーケティングを導入しＤＭを作成したところ、従来の業者まかせのものより反応がよくなった／一宮女子短期大学　232.チラシ広告の反応がアップ6ヶ月売れなかった中古住宅が一発完売／江口住建㈱　233.前年度に7個しか売れなかった商品を間違って72個発注してしまったが、手作りＤＭを使い6日間で完売／ダスキントップ㈱　234.信念にもとづいた営業が業績アップに貢献している／㈱ジーエムコーポレーション　235.昨年1月に1件だったホームページからの問い合わせが、今年1月は50件。なんと50倍！／ライフ・プラス　236.「お願い営業」から「殿様セールス法」に変更。成約率20%アップ／からすだ事務㈱　237.チラシ等の文章の書き方や集客の仕方を工夫。良い結果が出始めている／ぽれぽれネットワーク　238.テレアポがこんなに簡単だとは。100件電話して1件くらいの確率が、今では10件に1件が詳しい話を聞きたいと言ってくる／㈱ニチボーテック　239.記事風純広告で83件のレポート希望者有り。4～1月で生命保険6件成約／アヴァンセ　240.広告による生徒募集の人数が2倍にアップしている／㈲ピーエムエー　241.これはすごい、対前年比1億円アップ！／㈱ムラタ漢方　242.ミニコミ誌広告3万5000円の経費で140名の見込客が集まり、9600円の商品が30個売れた。これは奇跡だ！／ビーズ薬品店　243.見込客の集客コストがひとりあたり1万円以下でできるようになった／㈲イマジンホームビルド　244.ファックスＤＭを打ち、資料請求が今までより35%アップ／ヘルシーネット　245.顧問先へのマーケティングのアドバイスが大好評。またニュースレターも好評／㈱フロンティア総合研究所　246.レター型ＤＭを神田システムに変え、反応率200%アップ、売上40%アップ／㈱ローズメイ　247.導入後3回ＤＭを発送。今回お歳暮ＤＭの受注率は37%の実績／㈱ジャスター釜石スモーク工房　248.売上が2倍に！／ソフトウェーブ　249.今までほとんど無かった個人客売りが、今では個人顧客数200名までに／平野硝子㈱　250.テレアポはいかに早く断られるかがポイント。気がない相手に対して時間と労力のムダ／三洋運輸㈱　251.私自身のすべてがアップ。企画書の書き方が変わった／㈲ハートプラン　252.勇気が湧いてきた。具体的実践方法模索中／㈲夢街道　253.新しいビジネススタイルを構築している。かなり成功する確信有り／ディライト㈱　254.広告での成約率が対前年191%、成約率はなんと314%で新記録達成！／青春大学　255.見込客を集める媒体で20～30件の契約と650件のデータが取れた／広陽家電販売㈱　256.ＤＭ発送数対購入者のシェアが一昨年10%から3ヶ月連続で15%に／㈲ハリカ上田店　257.定着率の悪い無料券をやめ新サービスを行ない、新規の定着率が約2倍に／㈱ルイ・ヨコタフォート　258.プレゼント付き資料請求が880万円の売上に直結／クリエーション　259.電話のかけ方を変え、アポイント獲得率20%アップ／㈲早稲田財務戦略研究所　260.ファックス申し込みチラシが以前のチラシより反応率25%アップ／㈱ウィル　エドゥケイト　スクール　261.ハガキによる特典付きＤＭの反応が安定。30%台をキープするようになった／㈲バランス　262.広告による見込客獲得に挑戦。成約に至らずも現在再トライの準備中！／㈱ゼスト　263.1周年記念キャンペーンのＤＭで、来店数前年の20%アップ／㈱エス・アライアンス　264.チラシ、ＤＭ作りのポイントが分かってきた。只今勉強中！／㈱高橋木材家具店　265.チラシの反応率がアップ。現場見学会の来場者数が30%アップした／サンヨーホーム㈱

266.仕事のカンどころが分かってきた。売れるようになるための切り口が早く見つけられる／㈲クリップアート　267.ＤＭの反応率がなんと10%に！／㈱クイック経理　268.オファー付きカードを出して集客アップにつながった。30%くらいアップした／カミキン建設㈱　269.導入後から忙しくなり、休みが取れなくなった／パシフィックリフォーム㈱　270.50～100万円もかけた広告や展示販売をしても5万円くらいしかなかった売上が、チラシを工夫し費用3万円で30万円に／日本綜合食品㈱　271.1.8%だったＤＭの反応率が、5.6%、6.8%とステップアップ／㈲継コラボレーション　272.新広告で反応が20倍にアップ／大砂行政労務事務所・アシスト　273.反応率ゼロだった年賀ＤＭにオファーをつけただけで5%にアップ。紹介が得られ売上につながった。またプレスリリースのファックスに３件の問い合わせ、2社より取材を受け、大きく掲載された／ブライダル衣装館夢の屋　274.切り口がまったく違う折込チラシにびっくり。反応は倍になった／ラブリー㈱　275.ＤＭの反応率が本当に上がって41%に。ビックリ！／㈲スタジオジャパホ　276.広告の見出しを変えただけで反応20%アップ。無料レポートの活用で問い合わせ30%アップ／㈲シリアス　美容室ノーマジーン　277.ホームページを工夫して無料で広告。年間で100万円以上の広告費が軽減／㈱アンジェラス　278.真剣に売上を考えている方に神田先生の理論を伝えるだけで、現在100発100中で契約が進んでいる／㈱ダイワ　279.24時間受付で資料を差し上げる2ステップ広告にし、5件程度だった問い合わせが150件の資料請求に。おまけに資料を受け取った方からお礼状まで／㈱プラネッツ　280.途中退会される型が20%減った。顧客とのコミュニケーションが円滑になった／㈱関西全家研　281.新しくした顧客募集の折込チラシは、1万枚で20～30だった反応がなんと150ヒットとなった／㈱サクセスアカデミー　282.売れることと同様に、どうしたら社員が入ってくるかが今の問題／ポーラ化粧品（茜）営業所　283.「ホンモノの本物、だから売れる、だから儲かるのです！」のキャッチフレーズで業績アップ／㈲トップシーズ　284.お客様が聞きたいことを広告に書けるようになり、オファーを付けることでレスポンスも上がった／エステ・ナチュール　285.ポスティングによる新規顧客獲得が200枚で1件に／まるかんのお店堀田店　286.自家焙煎コーヒーの宅配を増やしたいのだが／自家焙煎コーヒーさくらや　287.ホームページ上で最新レポートを無料プレゼント。2週間で56件の応募があり、うち3件が新規会員に／ジョイブ㈱　288.新しい焼酎の開発ができた。実践を始めたばかりだが毎日ワクワクしている／㈲アルファ289.チラシからＤＭへ。広告費が半分になったにも関わらず売上120%アップ／中国漢方小ヶ倉薬局　290.意外？同業者も結構読んでいた／中原税理士事務所　291.エモーショナルＤＭの活用で広告宣伝費85%削減、売上10%アップ。拡販のアイディアがどんどん出てくる／フレッシュストア浜昌　292.社員全員が神田流マーケティングに焦点を当てることにより、スパイラル効果が出てきた／㈱サン・ステップ　293.「営業は米つきバッタではいけない」という言葉に目からウロコが落ち、勇気を与えられた／㈱ベルウッド　294.商売が楽しくなった。既存客からの紹介が50%アップ／知花インテリア　295.当社で発行している無料情報誌の請求率が20～30%アップ／㈲丸美不動産 296.会社の眠っていた資産が息を吹き返したよう。反応率も上がってきている／㈱にじゅういち倶楽部　297.導入直後からポストインチラシの反応が40%アップ／㈱梶原組　298.ＤＭ数百～数千通に１件だったオファーが、50通に１件獲得できた／今井明飾㈱派遣事業部イマイメイト　299.会員カード（リライト式）を導入／㈲勝商事　300.取引先へのファックスニュースレターの反応率が50%アップ／㈱大果　301.ＤＭを変えたら車検の予約が3倍に／㈱後藤自動車 302.契約販売員の募集広告で反応率・成約率ともに35%も向上／㈲ドゥ・ラック　303.ファックスＤＭの反応率が0.5%から2.1%と約4倍に跳ね上がった／サン・ビーム　304.ＤＭを送りアウトバウンドコールをしたら、開封率が80%だった／日精建設㈱住宅事業部プレンティ・ハウス

305.メルマガのキャッチコピーを工夫。初日だけで1200部の発行に成功した／㈱賃貸ネットサービス　306.今まで400通出して50人くらいだったＤＭの反応が80人くらいに。新聞広告も小冊子無料で3倍くらいの反応が／薬局健心堂　307.反応あるチラシ作りの研究を楽しくやっている／㈲ハッピーワン　308.ファックスＤＭで500件に対し2件だった反応が3.2％に／㈱メディア設計　309.お客様にＤＭを出し集客。初めてだが500通出して約100人の方が持参／世羅つくし農園　310.従来全く反応のなかった美顔器のチラシに5日間無料貸出しの項目を付けたところ、5件の申し込みがあり、成約4件／クレオパトラ化粧品名古屋支店　311.1通のＤＭで大手企業の見ず知らずの取締役とパイプができ、しかも驚くほど協力的な雰囲気でビジネスの話ができた／デリカ㈱　312.問い合わせが昨年比3倍以上。貴重な意見がデータベースにできるほど集まり、販促に大いに役立っている／㈱こうはら本店養宜館　313.ＤＭの反応が少なくとも2倍アップ。毎日驚きの連続！／㈲コスモス・リーガル・アカデミー　314.ＤＭの反応率が2.8％から8.6％にアップ！／住友海上火災保険株式会社　315.1％だったＤＭの反応が10％になった。お客様から「ＤＭを見るのが楽しみ」と言われ驚いている／カラースペースＫ　316.期間限定の割引券をチラシに掲載。ＤＭ回収率約4％、チラシ割引券は5％にアップ／㈲山本商店　317.毎回ＤＭの反応が最低3％確保でき、最高は10％に／三輪セミナー　318.大型スーパー開店時にテナント出店。チラシにより3日間で2400余人のお客様にお買い物していただけた。いつものオープン時より客数300％アップ／㈱紫香園　319.ステップアップ営業で契約99％。新規客急倍増中／ニューいな菊　320.従来のチラシ広告の10分の1の費用で、それを上回る効果／人見建装㈱　321.ニュースレター発行で入校者数10％アップ／㈱シグマコーポレーション　322.地元自治会、回覧板等に広告掲載。また自作ＤＭで2％の反応率／㈱プライム　323.この不況時で他店がかなり厳しいなか、現状を維持／㈲満寿屋浜見平支店　324.ＤＭの反応率がいきなり7％に！／デジタル・ダ・ヴィンチ㈲／325.経理の顧問先から月4万円追加で予算管理の業務指導を受注／アアクス㈱　326.ＤＭの反応が悪いのでアドバイス願う／ヒューマンネットワーク㈱　327.瞬間米研ぎ器のリピーター増加。多い時はひとりで13個の追加注文が／㈲クレセント　328.銀座という土地柄のお客様の気持ちをうまく利用し、リピーター増加中／鳴門　329.テレネットシステムがサービス、流通、小売店等で好評／㈲ロンドラボラトリー　330.導入後3日後に通販が2倍の売上／㈲沖縄長生薬草本社　331.イメージ広告の限界を打ち破る素晴らしい方法に出会えた／マハリシ総合研究所ＴＭ仙台センター　332.コピーに少しひねりを加え、サンプル請求者が12時間で56人も殺到／マルトミ商会　333.わずか10万円の広告費で2100件以上の資料請求獲得／ハウスプラスワン㈱　334.お客様に喜んでいただけることを考え接客。ＭＴＢの売上が30％アップ／㈲瀬戸口近代車商会　335.求人募集で応答が2ケタから4ケタに激増！びっくりした／㈱グランドール　336.折込チラシを入れたところ、前年比で学生服の受注数が400％アップ／みどりや洋品店　337.コネも実績もない私が事務所（間借り）からほとんど出ることなく、たった2ヶ月で90社以上の見込客を獲得！／ＧＦコミュニケーション宮城　338.目に見えない信用を築いているのではないか、と思われる現象が多い／㈲都築保険事務所　339.ＤＭの結果患者数が前年対比20％増。診療売上が前年対比15％増に／（医）徳治会吉永歯科医院　340.チラシ配布により10％売上がアップ／ガーデン　341.新聞広告に地元の人の使用例を載せたら、今までより売上が50％アップ／㈲三浦時計店　342.「良いですよ」だけではダメだと分かった。ステップを踏んで理解してもらえるよう試みている／計設計事務所　343.ＤＭ返信率アップで売上も160％アップ／㈱山幸蒲鉾　344.ハガキ300枚で65名来店。売上300万円、経費4万2000円／日本メディア㈲　345.ＤＭの効果が上がってきている／ユニワールド　346.新サービスの告知を既存客にご案内しただけで、90％の反応が／㈱広報会議　347.まだ本格的には行なっていないが、気合いが入っている／シライシ薬局

348.「対話形式のコンサルテーション」と「希少性の法則」が再来率のアップに繋がっている／吉祥寺共立美容外科／349.頭を使うようになり、ＤＭの効果が目に見えるようになった。タイヤ売上昨年度より30％アップ／㈲岩手県北マツダ商会　350.ＤＭで期限付き割り引きをしたところ、かなりの反応が。離れていたお客様も戻ってくれた／㈲マイスタンプ　351.断ったお客様が「どうしても受けてほしい」を頼んできてくれた／㈲サムシング・フォー・ウェディング　352.チラシ作成の際にプレゼントを付けたら、反応があった／㈲プラザーモータース　353.自社ホームページに製品の操作法とトラブルシューティングを記載したら、10～20％問い合わせが増え、見込客リストが増えた／㈱シバヤギ　354.既存客への封書年賀状が好評の上、約1000万円の売上見込／ペイントプラザ日翔㈱　355.勝ち組と負け組がはっきりしてきた建設業界で、当社はもちろん勝ち組／（資）安城建築　356.ファックスＤＭ360件出して72件の戻り。それも全部文字のみのシンプルレターにもかかわらず／㈱ビーム・プランニング　357.ＤＭの内容を変更。お客様の反応が大幅にアップ／㈱井筒屋　358.チラシの反応が以前より40％アップ／佐藤建設工業㈱　359.新車展示会で大効果。来店数が3倍になり成約率もアップ！エモいチラシの効果が出ている／上田自動車㈱　360.導入後チラシ反応2％キープ！／プラスワン　361.2ヶ月くらいたっても遡っての反応が続いている。反応30％はアップしている／㈱大建　362.ファックスＤＭで新規大口得意先を確保できそう／環境保全工業㈱　363.電話による問い合わせが多くなった／㈲三井金物センター　364.紹介客と新規の問い合わせ客が2～3割増え、成約率もアップしている／㈲リード・クリエーション　365.ダイレクトレスポンスマーケティングのトリコになった。ホームページやＤＭへの応用を思案中！／大湊労務行政事務所　366.増改築ＤＭの反応率が0.1％から3％にアップ／松下電工エイジフリーショップス㈱　367.導入直後から成約が驚異の300％アップ！／㈱寺下活生トータル研究所　368.顧客獲得3ステップ作戦実施。きっかけ→来場→常連化→客単価アップ／㈱アミックススーパー温泉桃山の湯　369.求人ファックスで通常より4倍の求人有り／㈲ナンバーワンクラブ　370.21日間感動プログラムでリピート率と固定率が50％アップ／法生㈱　371.電話ノウハウを活用してアポイントメント率が10％向上。受注件数もアップ／アーサーアンダーセンヒューマンキャピタル　372売上昨年の2倍！／ＡＩＡＩ　ＭＥＤＩＣＡＬ　373.ＰＲの表現をちょっと変えただけで反応が急にアップ。10倍以上でフォローにてんてこまい／㈱エス・デー・シー・テクノ　374.名刺に工夫。お客様の方から気軽に話しかけてもらえるようになった／㈲ハイフラット　375.1回70万円の広告を1回4万円のものに替えても、同じ件数の問い合わせ。神田流広告のスゴさを実感／ダン㈱　376.神田理論をＷＥＢ上で応用。広告費をゼロにすることができた／ＡＣパートナーズ　377.導入後ＤＭの反応率20％達成！／コパル経営　378.ポスティングチラシに応用し効果抜群！会員契約件数が一挙に2倍に増加／㈲きたに　きたにフレッシュマート　379.ファックスＤＭを発信したら、なんと1000通中72通の返信が／㈱ハマノパッケージ　380.電話作戦と新製品のＤＭで売上140％アップ／㈱アコヤ　381.広告の反応が30％アップ／コスモスマインド　382.ＤＭ経費15万3000円で90万円の利益が／㈲コム・インスティチュート　383.商品案内、出店ＰＯＰに希少価値を盛り込み、反応、購入がアップ／㈱梅こし　384.録音案内テープと小冊子の活用で見込客の質が向上／ロイヤルライフ㈱　385.セミナー参加者がなんと2～4ヶ月で10倍以上に／㈱ｎａｇｗａｙｓ．ｃｏｍ　386.個人へのＤＭの反応が2倍になり、今後は法人に向けてアプローチを／クレディスイス生命保険㈱名古屋支社　387.導入前に試した代理店ミーティングの案内で反応が50％アップ！すぐに実戦で使用しなければと思った／ＡＩＵ保険会社　388.まだ一度も広告していない地域より入会者有り。ＤＭだけなのに「どーなってるの？」とスタッフ一同首をひねっている。口コミ以外考えられない／プロ家庭教師の会　389.既存客に自分の体験をからめたＤＭを送付。美白化粧品の売上が30％アップ／ヘアメイクフキ

390.導入直後からセールストークや行動が積極的になり、売上が確実に30%アップ／㈲タジリジムキ　391.こんな告知があったんだ。置きチラシ30%アップ／㈱光広ジャパンコーポレーション　392.新聞折込チラシの内容にオファーを加えレスポンス率35%アップ／スルーウィング　393.チラシの書き方を変更したので、来院する方の内容が増えた／おおみどう　394.商品内容中心のＤＭ文章を顧客中心に変更。反応がかなりよくなった／㈲ベストチョイス　395.神田先生のアドバイスを実施し、ＤＭ、チラシの反応がビックリするほどアップ／ドクターリフォーム　396.ニュースレターの発行を開始。お客様から再注文をいただけるようになった／丸中製薬　397.只今勉強中。今まで出していたＤＭ等の反応が悪い理由がよく分かった／西塔社会保険労務士事務所　398.資料請求が1ヶ月に数本から10本に増えた／実践カウンセリングＤｏ　399.チラシ広告の反応率がアップ。1色刷りの広告にもかかわらず、反応率は2倍くらいになったと思われる／㈲ハヤセ　400.折込チラシにお客様アンケートの生の声を載せたら、引き合い反応率が60%アップ／㈲アールズ建築設計工房　401.お客様に「ピンクの本を読んで実践してみたら？」と言ったら、「来客数が2割増えた」と喜んでいただけた／神田会計事務所　402.毎週のチラシの題名を工夫。4ヶ月で5%アップ／㈲綜合食品マスヤ　403.ＤＭ文章の書き方に自信が持てるようになった。根本から考え直して生まれた表現は成功率が高くなる／㈱Ａシステム　404.チラシのキャッチフレーズを変えて問い合わせ30%アップ／日本メデックス㈱　405.まさかのＤＭ返応率、驚くほどの効果が短期間で。只今新規顧客激増中！／ひとみ社会保険労務士事務所　406.新聞に広告を掲載予定。100件くらいの問い合わせが来ると思う／Ｓｔｅｐ２１　407.ＤＭ反応率が50%アップ。入会率が80%アップ／家庭教師の早稲田アシスト㈱メディアスタッフ　408.ニュースレターを始めてから、お客様からの応援の手紙をもらうようになった／積水ハウス㈱　409.現在ネット販売で売上アップしてきている／㈱アッス　410.まだうまく機能していない面もあるが「頭に汗をかく」努力をしている／東洋快心堂　411.従来のＤＭでは500通程度発送して反応があるかないかだったが、今では確実に100通程度の発送で3〜5件の反応が／㈱ジテック　412.広告会社のいいなりにチラシを出していたが、目からウロコが落ちる状態になった。お客様の反応も20%アップしている／㈲堀井住器　413.導入1ヶ月後からＤＭへの反応が30%アップ／㈱経理マン　414.既存客への新商品セールの案内チラシをお客様属性により複数枚配布したところ、事業所や個人からの注文が以前の2倍以上に／㈲愛媛オフィスサービス　415.お客様との信頼関係が飛躍的にアップ／㈲ブレーントラスト　416.すでに何の営業もなく、今後45日間のスケジュールがビッシリ埋まってしまった！／出光興産㈱関東第一支店リテール開発センター　417.450万円の新聞広告よりも、ＤＭ8万円の反応が全反響の20%を占める／㈱ユーティアイジャパン　418.お客様紹介サービスでつい最近も2件の住宅の紹介があり、どちらもほぼ成約の見込／㈱小幡工務店　419.見込客の絞込みアップで20%アップ／ロイヤルハウス厚木　420.この1年のカタログ請求は従来の約5倍に、売上は40%アップ。利益は4倍になりそう。信じて取り組むことが秘訣かも／佐藤ロストワックス技研㈱　421.ミニコミ誌を使ったリフォームの広告を提案型に変更。件数の増減はなしだが工事単価が30%アップ／㈱青山　422.従来のニュースレター形式のＤＭに1枚追加してレスポンス2倍に／㈱キャプテン　423.ＤＭで資料請求のあった病院を訪問したところ、即商談。約80万円の契約が成立した／ウエストコーポレーション　424.お手紙ＤＭ180通で新製品が10日間で30個の予約。反応の多さにびっくり！／㈲イカリ薬局　425.ギフト企画において、ＤＭ数は昨年の半分以下で売上は30%以上にアップ！／お菓子の壽城・通信販売課　426.通販昨年対比180%、同卸販売220%。マスコミへのアプローチも成功／㈲リンクアップ　427.売上が2倍になった／森口商店　428.導入直後からＤＭへの反応が25%アップ／喜多式ライフ　429.商品使用することで40〜50%の経費削減。また得々ニュース発信を開始／スワマシンツール

430.小予算のチラシで40%反応アップ。毎月発行のニュースレターでお客の流出が激減／㈲フットカイロ　431.新聞媒体による電話での問い合わせが月に25本が4ヶ月で月60本に240アップ／㈱天神商工センター　432.導入後確実に見込客を集めることができ、反応が数字で見えるようになった／（資）ミルウォーキー　433.チラシによる集客率はあまり変わらないが、リピーターは以前より増えた／加納米穀店　434.導入直後からチラシ、広告の反応率が大幅にアップ。チラシ2万枚でたった2件だったのが、わずか2.5万円の広告で13件の問い合わせ有り／㈱新田中　435.これまでの実践で不動産の買入希望者（見込客）が623組も。売る土地がなく困っています／㈲内田オフィス　436.神田式でチラシを作成し、通常1週間以内で0名の問い合わせがなんと5名！／マインドゼミナール㈲　437.米つきバッタみたいな営業はダメだ。お客様を一度突き放した結果、新築注文住宅1棟受注／佐々木順建設㈱　438.雑誌広告での資料請求が50%アップ／㈱環境良品研究所　439.年6回発行している手作りの通信紙は、あたたかな心のふれあいとほのぼのとした一体感がお客様に喜ばれている／㈱味とこころ　440.自動顧客管理システムの導入と実践により、売上50%アップが実現！／㈲ネットシムテムズ　441.「トライアルセット」の申し込みが、ニュースレターや名刺大の紹介カードにより10倍になった／㈱そら　442.たった2万円の広告費が100万円の売上に。しかも10日間で！／㈱永田硝子　443.ニュースレター等の実施により、既存客へのＤＭ反応率が大幅にアップ（予定の15倍）／グランドデュークス東海㈱　444.セミナー集客チラシがハンディング1500枚で4件の集客だったのが、導入後ファックスＤＭ500枚で3件に／㈱サン・コーポレーション　445.10センチ四方のプレゼント広告に50名限定のところ230名の応募が殺到／ハクレイ酒造㈱　446.ＤＭ導入後、全国に100件以上の新規顧客が。もちろん売上も前年より右肩上がり／ヤシマ産業㈱　447.ＤＭの効果的な出し方でレスポンス率、成約率ともに7倍アップ！／三宝物産㈱　448.21日間顧客感動プログラムの実践により、既契約者からの紹介入手の数が2倍にアップ／プレデンシャル生命保険㈱大阪北支社　449.お客様のＤＭ制作にノウハウを導入したところ、反応が20%アップ！大変喜んでいただき新しい仕事を受注した／㈲シーウインド　450.小予算で多大な反響を得る手法では神田先生の上をいくコンサルはいない。大企業を相手にどう戦うかを教わった／㈱小野不動産建設　451.購入の決断に迷いがある方に効果あり／ジュエリードゥノグチ　452.現場見学会のチラシ1万枚で10組の来客があった。その前は4万枚で1人の来客なので、40倍の効率／㈱シアーズホーム　453.オファーのつけ方がわかり、生徒増につながりやすくなった／㈲未来企画　454.ＤＭへの反応が今まで限りなく0%に近かったのが、20%以上にアップ！／ＰＣアカデミー　455.今までとは100%異なった販売方法に感動しまくり／田中義仁　456.首都圏で仲間が実践していたチラシのポスティングをそのまま広島で実行。2000～3000分の1の問い合わせが300分の1に／ソニー生命　457.ＤＭの問い合わせが1.5倍。しかも手作りなのに／西本繁夫　458.まだ入会したばかりです／㈲ピンコーポレーション　459.ポスティングチラシの反応月30件が60件に／ソニー生命保険㈱　460.ピアノ教室の生徒募集に応用。一回のチラシで8名の申し込みが／㈲ミルトス　461.只今勉強中／㈱中井商店　462.ＤＭの反応率が24倍に！／㈱ＰＤＲ　463.コピーを変更してから、新聞広告のレスポンスが20%アップ／チューリッヒ保険会社　464.取引先との打ち合わせや情報交換時に見直され信頼度が増した／日本火災海上保険姫路ＳＣ　465.ミニコミ誌による反応が340%アップ。成約100%／波動発毛サロンリバイブヘアー　466.安価なＴＶ宣伝とポスティングで、ＴＥＬ反応、来校者、入校者が50%アップ／広島インターネットパソコンスクール　467.毎月のニュースレターの発行で休眠客の掘り起こしに成功／このきみ佐藤酒造店／468.広告規制の厳しいこの業界でも有効なＰＲ方法を発見できた／あい歯科医院　469.雑誌の無料投稿で資料請求30通、会員申し込み6件／㈲アイ代行サービス　470.1000件のファックスレターで５件のレスポンス、1件成約／プランズウッド

471.生徒募集チラシ1万枚で7名入塾。不動産物件販売チラシ5000枚で3件完売／㈲早稲田オープン　472.本に出てから問い合わせが増えた／ギンザギャラリーハウス　473.生徒数が夏期講座で2.7倍。お客様にわかりやすいチラシのせいだと思う／個別指導アシストグループアシスト益城　474.新世紀初頭の実践目標は自己啓発、実践、年内3店舗目オープン／㈱マーメイド　475.セミナー開催のＤＭに対する申込者が250%アップ／中川社労士事務所　476.地方自治体向けのアンケート付ＤＭの反応が40%。面談率は50%を超えた／エムアンドエスコーポレーション　477.ニュースレターの発行で新規客の紹介が倍増／販促エンジン北海道　478.期間限定のサービスやお試しのオファーを付け、チラシ1000枚で130人くらいの新規客を獲得／ＨＡＩＲ　ＴＨＥＲＡＰＹ　ＣＵＲＥ　479.入会キャンペーンの入会率が上がった。入会率は99年が33.8%、2000年は54.6%！／国立インドアテニススポット　480.パソコンスクールに3日間で40名入会。前回の倍以上だった／石井書店　481.ホームページに活用し大反響。通販を企画中／㈲ショーワ堂　482.中1、中2生がすでに満席！／開進スクール　483.はやい、安い、親切／カマクラムジカ　484.2ステップ広告で反応が300%アップ。ニュースレターで売りこみ成約率がアップ／勧業住宅販売㈱　485.ＤＭで驚くべき反応率。113通中78件の受注に成功！／㈱吉田アイエム研究所　486.購買決定の瞬間はいつか、を強く意識してアプローチするようになった／㈲タクト　487.ＤＭ250通出して反応3件、成約2件。これからの課題はＤＭのバージョンアップと売れるしくみづくり！／綜合事務機カネモト　488.住宅広告の反応が1.5倍もアップしてしまった。まるで磁石のようにお客様が反応する／㈱優装（住宅事業部）エニシホーム　489.先が見えない今、自分を信じ行動することが一番大切／㈱モテギ　490.オファー付きの小さな広告で143件の問い合わせ。こんなことは初めてだった／㈱ラック　491.社員さんの考え方も変わり、必ずうまくいくと思っている／㈱マジカルシステム　491.ほとんど反応なしの状態からたった100件のＤＭに10件もの反応が／㈱石坪啓次商店　492.ＤＭを出すのが楽しくてしょうがない／ＭＫＳライフサービス　493.導入後売上180万円アップ。お客様の声反応率55%／アステックシステム㈱　494.スタンプカードに工夫し、昨対で11月は477%、12月は600%アップ／ふかざわ釣具店　495.売上対前年比120%アップ／㈱バース　496.全国各地でセミナーを開催。参加者の20%が神田本の読者で成約率は50%以上／㈱ジー・エフ　497.大企業には勝てないと思っていたが、大企業と同じ間違いをしていたことに気付いた。現在「そのうち客」急増中／㈲東海コンサルティング　498.お手紙風ＤＭで98人中24人の方が再入会。ＤＭの効果は1ヶ月以上続いた／シゲエダゴルフ㈱　499.代理店募集についての資料請求が月平均15件に。今までは2件くらいだったのに／㈲エイドリバー　500.オファー付き年賀レターで半年以上来院していない患者さんが3%の割合で再来院／橋本鍼灸院　501.3倍やる気が出た。今年はそのやる気を売上で示す／㈲トッパ　502.導入後、前年度の売上が半年で達成。新入社員のやる気が出て、社内全体の士気が高まった／㈱マキマサ住宅事業本部オレンジホーム　503.社員が失敗を恐れずに楽しんでマーケティングに兆戦している／（資）キタムラ・コーポレーション　504.「忙しく働けば働くほど儲からん」から「頭を使って楽しくやろう」に。集客も158%アップ／マテリアル　505.「お客様の心をつかんで」「会社を楽しくして」業績アップを目指す／ビバレッジファーム㈱　506.手書きのコピーでも折々の挨拶は既存客とのコミュニケーションツールとして有効／オフィスＹｓ　507.今までの「飛び込み営業」がバカらしくなった。「お願いします」と頼んでいたのが逆にお願いされるように。成約率が50%アップ／㈲エプコット　508.ダイレクトレスポンスにより見込客の絞込みが容易になった／㈱京都クリエイト　509.ＤＭ集客増大は当然。本に社名が出た効果は絶大／㈱マイム　510.小冊子プレゼントをＥメールで実施。なんと2日間で88件の応募が／日商建設㈱　511.ニュースレター自体が営業マン。たった4回目で紹介客が増加／㈲柳沢　512.神田方式の実践で、1ヶ月間で売上50万円達成！／㈲アクエリアス

513.お手紙風ＤＭを作成。76件中6件反応／㈱メディカル技研　514.驚くほど集客が簡単に。しかも優良顧客が小予算で集まってくる／㈱タイヤタウン福岡　515.ファックスの申し込みを利用したチラシで、チラシでの資料請求数が3倍以上に／オーシーエージャパン㈱　516.手書き新メニューのチラシを新聞に折込んだところ、住所、氏名を記入して来店されたお客様がなんと48人も。ＤＭよりよっぽど楽！／㈲商徳　517.チラシ、商品の告知に「エモ」は不可欠と確信した／㈱ＡＤＳＰ　518.ＤＭを出したところお客様からの問い合わせアップ。今後もいろいろ試していきたい／東京堂カバン店

神田昌典
Masanori Kanda
上智大学外国学部英語学科卒。外務省経済局勤務。
外務省退職後、ニューヨーク大学院にて経済学修士（ＭＡ）、ペンシルバニア大学・ウォートンスクール経営学修士（ＭＢＡ）を取得。経営コンサルティング会社勤務を経て、米国家電メーカー日本代表に就任。「人なし」「予算なし」「商品なし」のゼロからの立ち上げとなるも、売上は３年間で年商８億円（ＯＥＭ販売を含めて13億円）まで成長。アジアにおける最優秀社員（ＭＶＰ）に選出される。
1998年、経営コンサルティングと経営者教育を提供する株式会社アルマックを設立。コンサルティング業務を行なうとともに、ダイレクト・マーケティングを実践する経営者組織「顧客獲得実践会」（後に「ダントツ企業実践会」）を主宰。発足後５年で4000社を超える中小企業が参加し、日本最大の規模となる（2003年休会）。
2005年現在、企業家教育、加速教育等の分野にて複数会社のオーナー。著書に『あなたの会社が90日で儲かる！』『非常識な成功法則』『お金と英語の非常識な関係　上・下巻』『仕事のヒント』（フォレスト出版）『60分間・企業ダントツ化プロジェクト』（ダイヤモンド社）『なぜ春はこない？』（実業之日本社）『成功者の告白』『人生の旋律』（講談社）等多数。
http://www.kandamasanori.com

口コミ伝染病
お客がお客を連れてくる実践プログラム

2001年3月10日　初版発行
2019年10月19日　38刷発行

著　者　神田　昌典
発行者　太田　宏
発行所　フォレスト出版株式会社
〒162-0824 東京都新宿区揚場町2－18 白宝ビル5F
電話　03-5229-5750
振替　00110-1-583004
URL　http://www.forestpub.co.jp

印刷・製本　中央精版印刷株式会社

ISBN978-4-89451-109-5　Printed in Japan

神田昌典のベストセラー

25万部を超える伝説の書、
『非常識な成功法則』が新装版で登場！

非常識な成功法則【新装版】

～お金と自由をもたらす8つの習慣～

新装版にあたり、内容の一部を改変、
さらに巻頭に神田昌典からのメッセージを掲載。
「一番書きたくなかった本」
「読み返したくもない本」
と本書を振り返る神田昌典は、
やっぱり「非常識」？

神田昌典 著
定価：本体1,300円＋税